JN252286

第2版

最新歯科技工士教本

歯冠修復技工学

全国歯科技工士教育協議会　編集

Dental Technology
for Fixed Dental Prostheses
and Restorations

Dental Technology

医歯薬出版株式会社

This book is originally published in Japanese
under the title of :

SAISHIN-SHIKAGIKOSHI-KYOHON SHIKAN-SHUFUKU-GIKOGAKU
（The Newest Series of Textbooks for Dental Technologist-Dental Technology for Fixed Dental Prostheses and
Restorations）

Edited by Japan Society for Education of Dental Technology
© 2017 1st ed.
© 2024 2nd ed.

ISHIYAKU PUBLISHERS, INC.
7-10, Honkomagome 1 chome, Bunkyo-ku,
Tokyo 113-8612, Japan

発刊の序

　わが国の超高齢社会において，平均寿命の延伸に伴って健康寿命をいかに長くすることができるかが，歯科医療に課せられた大きなミッションです．一方，疾病構造の変化，患者からのニーズの高まり，歯科医療器材の開発などが急速に進展してきたなかで，歯科医療関係者はこれらの変化に適切に対応し，国民にとって安全，安心，信頼される歯科医療を提供していかなければなりません．このような社会的背景に応えるべく，優秀な歯科技工士の養成が求められています．歯科技工士教育は，歯科技工士学校養成所指定規則に基づき，各養成機関が独自性，特色を発揮して教育カリキュラムを構築していかなければなりません．長年の懸案事項であった歯科技工士国家試験の全国統一化が平成 28 年 2 月の試験から実施されました．国家試験が全国統一されたことで試験の実施時期，内容などが極めて公平，公正な試験となり，歯科技工士教育の「スタンダード化」ができたことは，今後の歯科技工士教育の向上のためにも大きな意味があると考えられます．

　全国歯科技工士教育協議会は，平成 26 年 11 月に，歯科技工士教育モデル・コア・カリキュラムを作成しました．これは歯科技工士が歯科医療技術者として専門的知識，技術および態度をもってチーム医療に貢献できるよう，医療人としての豊かな人間形成とともに，これまでの伝統的な歯科技工技術を活かしながらも，新しく開発された材料，機器を有効に活用した歯科技工学を修得できるよう，すべての歯科技工士学校養成所の学生が身につけておくべき必須の実践能力の到達目標を定めたものです．また，全国統一化された国家試験の実施に伴って，平成 24 年に発刊された国家試験出題基準も近々に見直されることでしょう．さらに，これまで歯科技工士教育は「歯科技工士学校養成所指定規則第 2 条」によって修業年限 2 年以上，総時間数 2,200 時間以上と定められていますが，実状は 2,500 時間程度の教育が実施されています．近年，歯科医療の発展に伴って歯科技工技術の革新，新しい材料の開発などが急速に行われ，さらに医療関係職種との連携を可能とした専門領域での技術習得を十分に培った資質の高い歯科技工士を適正に養成していくためには，教育内容の大綱化・単位制を実施しなければなりません．

　歯科技工士教本は，これまで多くの先人のご尽力により，常に時代のニーズに即した教育内容を反映し，歯科技工士教育のバイブル的存在として活用されてまいりました．教本は，国家試験出題基準や歯科技工士教育モデル・コア・カリキュラムを包含し，さらに歯科技工士教育に必要と思われる内容についても掲載することによって，歯科技工士学校養成所の特色が発揮できるように構成されていますが，今回，国家試験の全国統一化や教育内容の大綱化・単位制への移行を強く意識し，改訂に努めました．特に大綱化を意識して教本の名称を一部変更しています．たとえば『歯の解剖学』を『口腔・顎顔面解剖学』，『歯

科技工学概論』と『歯科技工士関係法規』を合本して『歯科技工管理学』と変更したように内容に準じて幅広い意味合いをもつタイトルとしていますが，国家試験出題基準などに影響はありません．また，各章の「到達目標」には歯科技工士教育モデル・コア・カリキュラムに記載しております「到達目標」をあてはめています．

　今回の改訂にあたっては，編集委員および執筆者の先生方に，ご多忙のなか積極的にご協力いただきましたことに改めて感謝申し上げます．編集にあたりましては十分配慮したところですが，不備，不足もあろうかと思います．ご使用にあたりましてお気づきの点がございましたらご指摘いただき，皆様方の熱意によりましてさらに充実した教本になることを願っています．

　本最新歯科技工士教本が，本教本をご使用になり学習される学生の方々にとって，歯科技工学の修得のためのみならず，学習意欲の向上に資することができれば幸甚です．

　最新歯科技工士教本の製作にあたりましては，全国歯科技工士教育協議会の前会長である末瀬一彦先生が，編集委員長として企画段階から歯科技工士教育の向上のために，情熱をもって編集，執筆を行っていただきました．末瀬先生の多大なるご尽力に心より感謝申し上げます．

2017 年 1 月
全国歯科技工士教育協議会
会長　尾﨑順男

第2版の序

　近年，歯科技工においてもデジタル技術の導入が急速に行われ，歯科用 CAD/CAM システムを避けて通れない領域になっている．日本の歯科技工技術は従来から制度および教育の在り方が秀でており，アナログ技工においては世界を凌駕してきた．ゆえに海外に比べてデジタル技工の導入が少し遅れたが，最近になって，材料の開発も進み，アナログ技能とデジタル技術のコラボレーションによってさらに一歩進化した補綴装置や矯正装置を製作することができるようになってきた．一方，咬合関係や歯の喪失に起因する全身疾患との関わり，高齢社会に対応できる多様な義歯，さらには機能の回復にとどまらない審美的な形態の回復による心のケアなど，臨床においては多彩な要求を検討しなければならないようになっている．機能および形態の回復のほとんどが人工材料・人工臓器によって行われる歯科医療の特殊性も相まって，歯科技工士には臨床の需要に応えられるだけの技術の研鑽と探求，歯科医師からの高度な指示や情報提供に対する理解力が必要となっている．

　歯科技工士教育にあって，専門分野の教育指針は，「専門的な知識・技術を養うとともに科学的思考力・洞察力を身につけさせ，さらに一人ひとりの主体性を尊重して，自ら考えて行動し実践できる能力・技術を養う」ことであり，とりわけ総時間数の 20% を占める「歯冠修復技工学」は「有床義歯技工学」とともに歯科技工士教育のなかでも最もウェイトが大きい．現在，歯冠修復においては，歯科用 CAD/CAM テクノロジーの導入，新素材の開発さらには接着歯学の確立により，歯科技工の在り方にも大きな変化が訪れている．さらに口腔の健康管理などに対する認識の高まりによって若年者の齲蝕罹患率は激減したものの，高齢者における齲蝕罹患率は依然として高く，審美的要求も高く，欠損修復においても必ずしも減少しているわけではない．全世代を通じて歯冠修復はまだまだ必要である．

　歯冠修復技工では，単に解剖学的な基本形態にそって製作するだけでなく，歯周組織との関係，咬合，審美性，全身状態などを把握して機能的な歯冠修復物を製作する必要がある．また，セラミックスやハイブリッド型コンポジットレジンなどの新素材の開発によって審美的要素のウェイトがますます増加しているほか，インプラント治療が日常臨床に取り込まれたことで，精度の高い，高度な技術も要求されている．一方で，生体情報のデジタル化や計測・加工技術の進歩，生体適合性に優れた材料の開発に伴って歯科医療の分野にも CAD/CAM システムが導入され，歯科技工の複雑な部分を省力化させることが期待されている．技工作業の簡略化，合理化，精密化，均質化を目指して新たな体系化が迫られるなかで，歯冠修復技工学は重要な学問分野となるであろう．

　本教本の執筆にあたっては，現在の歯科医療に立ち向かう若い歯科技工士にとって必要最低限の知識を整理することに終始徹底した．歯科技工士国家試験も平成 28 年から全国統一試験として実施され，全国レベルで歯科技工士教育の水準が整い，一定レベルの向上が図られる．

　本教本のご執筆者および全国歯科技工士教育協議会の関係諸氏に心から感謝申し上げる．

2024 年 2 月
末瀬一彦

第1版の序

　近年，顎口腔系に関する広範囲な研究の進展とともに，顎口腔機能の不調に起因する全身疾患との関わり，高齢社会に対応できる多様な義歯，さらには機能の回復にとどまらない審美的な形態の回復による心のケアなど，臨床においては多くのことが求められるようになっている．機能および形態の回復のほとんどが人工材料・人工臓器によって行われる歯科医療の特殊性も相まって，歯科技工士には臨床の需要に応えられるだけの技術の研鑽と探求，歯科医師からの高度な指示や情報提供に対する理解力が必要となっている．

　歯科技工士教育にあって，専門分野の教育指針は，「専門的な知識・技術を養うとともに科学的思考力・洞察力を身につけさせ，さらに一人ひとりの主体性を尊重して，自ら考えて行動し実践できる能力・技術を養う」ことである．現在の指定規則によれば，「歯冠修復技工学」の教授時間は440時間（12単位）で総時間数の20％を占め，「有床義歯技工学」とともに歯科技工士教育のなかでも最もウェイトが大きい．現在，歯冠修復においては，接着歯学の確立により，間接的な修復処置に変わってコンポジットレジンなどによる口腔内での直接作業が主体となり，歯科技工の分野の割合は減少している．しかし，口腔の健康管理などに対する認識の高まりによって若年者の齲蝕罹患率は激減したものの，高齢者における齲蝕罹患率は依然高く，欠損修復は必ずしも減少していない．歯冠修復はまだまだ必要である．

　歯冠修復技工では，単に解剖学的な基本形態にそって製作するだけでなく，歯周組織との関係，咬合，審美性，全身状態などを把握して機能的な歯冠修復物を製作する必要がある．また，セラミックスやハイブリッド型コンポジットレジンなどの新素材の開発によって審美的要素のウェイトがますます増加しているほか，インプラント治療が日常臨床に取り込まれたことで，精度の高い，高度な技術も要求されている．一方で，生体情報のデジタル化や計測・加工技術の進歩，生体適合性に優れた材料の開発に伴って歯科医療の分野にもCAD/CAMシステムが導入され，歯科技工の複雑な部分を省力化させることが期待されている．技工作業の簡略化，合理化，精密化，均質化を目指して新たな体系化が迫られるなかで，歯冠修復技工学は重要な学問分野となるであろう．

　本教本の執筆にあたっては，これまでの先輩諸氏がご尽力された基本的内容については十分配慮するとともに，上記に述べた新しい分野についても言及し，現在の歯科医療に立ち向かう若い歯科技工士にとって必要最低限の知識を整理することを終始徹底した．歯科技工士国家試験も平成28年から全国統一試験として実施され，全国レベルで歯科技工士教育の水準が整い，そのレベルの向上が図られる．本教本も「歯科技工士教育モデル・コア・カリキュラム」や「出題基準」を包含するとともに，さらに幅広い知識の研鑽や活用に重点をおいている．指導者も学生も有意義に活用されることを望む．

　本教本のご執筆者および全国歯科技工士教育協議会の関係諸氏に心から感謝申し上げる．

2017年2月
末瀬一彦

最新歯科技工士教本 **歯冠修復技工学** 第2版 　　CONTENTS

CONTENTS

CONTENTS

CONTENTS

コラム

1 歯冠修復技工学の概要

到達目標

① 歯冠修復技工学の意義と目的を説明できる.

1 歯冠修復技工学の意義と目的

　　大学歯学部歯学科における教科目の1つに歯科補綴学(prosthetic dentistry, prosthodontics）があり，冠橋義歯補綴学（クラウンブリッジ補綴学，固定性義歯補綴学など：fixed prosthodontics and restorative dentistry）と有床義歯補綴学（可撤性義歯補綴学など：removable prosthodontics）に大別される．前者は，単独の歯の歯冠部が崩壊した患者に対し，**歯冠修復物，冠（クラウン：restoration, crown）**を装着する，あるいは少数歯が欠損した部位の隣接歯を支えにして，橋を架けたような構造の**架橋義歯（ブリッジ，固定性補綴装置：fixed dental prosthesis**, fixed partial denture, fixed bridge）を装着する，という歯科医療の一分野を学ぶ学問である．

　　歯科技工士養成課程において，上述の冠橋義歯補綴学と密接に関連した教科目として教授されるのが**歯冠修復技工学（dental technology for fixed dental prostheses and restorations）**である．すなわち，歯冠修復技工学においては，歯冠修復物，冠（クラウン），架橋義歯（ブリッジ，固定性補綴装置）などの製作に関する知識と技術について学ぶことを目的とする．歯冠修復技工（学）の意義として，以下の点が挙げられる．

　　①口腔内で直接製作することが困難である歯冠修復物，固定性補綴装置などを，歯科技工所において製作することができる．

　　②口腔内から採得，記録された印象，咬合，色調などをもとに，模型上で作業が行われる機会が多いことから，受診者に対し，適切な形態，機能，外観をもつ修復物と装置を提供することが可能である．

　　③歯冠修復技工により，少数歯欠損の受診者に対し，顎口腔系の健康の回復，保持，増進を目的とした修復物と装置を提供できる．

2 臨床的価値

　歯科医療の現場において，歯科医師は診察と処置を行うが，口腔内では製作が困難な歯冠修復物と補綴装置については印象採得を行う．その印象をもとに模型が製作され，併せて歯科医師が歯科技工士に対し，技工装置製作の依頼および指示を発行する．このような異職種連携による歯科治療を推進していくうえで大きな比重を占めるのが歯冠修復技工である．歯冠修復技工の臨床的価値は，以下のように多岐にわたる．

1）顎口腔系の機能の回復と改善

　歯質の欠損に対して歯冠修復物が，歯の欠損に対して補綴装置が装着される．その結果以下のような臨床的価値を生じる．

①失われた歯質，歯および歯列の形態が回復される．

②形態の回復に伴い，摂食，咀嚼，発音，発声，嚥下などの機能が回復され，治療前に比べて諸機能が改善される．

2）顎口腔系の審美性の回復と改善

　歯質あるいは歯が欠損すると，形態的欠陥に由来する外観不良あるいは審美障害という事態に至る．歯冠修復技工により，前歯部を中心とした審美性の回復と改善という臨床的価値を生じる（図1-1, 2）．

①歯質と歯の形態を回復することにより，自然観をもつ外観となる．

②歯列が自然観を呈する外観となることにより，審美性，すなわち見た目の美しさの改善につながる．

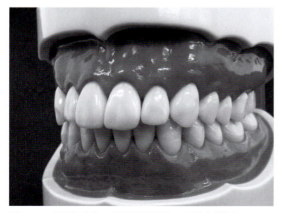

図 1-1　正常咬合の歯列を再現した顎歯模型

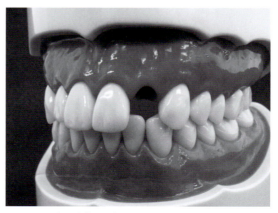

図 2-2　歯の欠損を生じると，摂食，咀嚼，発音，外観などに悪影響を及ぼす

3) 口腔衛生の管理

　　歯質と歯に欠損を生じる原因の多くは齲蝕と歯周病である．どちらも原因は異なる種類の微生物とそれらの産生物質であるとされている．罹患した歯質に対して人工物を用いた処置を施すと，材料の部分に齲蝕あるいは歯周病を生じることはない．しかし，口腔内に残った歯の表面，歯周組織などから続発疾患を生じることはまれではない．したがって，歯冠修復処置前後の口腔衛生管理は，歯科疾患の再発予防のためにもきわめて重要である．

　①技工装置の設計にあたり，口腔清掃の容易さに配慮する．これにより受診者が口　腔衛生管理を適切に行える状況となる．

　②歯冠修復技工において，歯冠部の豊隆（カントゥア），歯頸部付近のエマージェン　スプロファイルなど，各部位の形態を適切に回復する．このことで，食塊が歯と　口腔組織に悪影響を及ぼす可能性を低下させることができる．

印象体と石膏模型の保管と管理

　口腔内で採得された印象体は口腔微生物や血液などの患者の体液で汚染されているため，印象採得後に消毒されなければならない（図1，2）.

　印象体には，アルジネート印象，寒天アルジネート連合印象，シリコーン印象などがあり，アルジネートと寒天アルジネート印象は，消毒前に流水下で120秒以上，シリコーン印象は同じく30秒以上の水洗時間が推奨されている．この水洗時間が短いと，洗浄剤による消毒効果が減弱しやすいため，消毒前に，水洗時間を一定確保することがきわめて重要となる．水洗後の消毒には0.1～1.0%の次亜塩素酸ナトリウム溶液や2～3.5%のグルタラール溶液などの洗浄剤が用いられ，次亜塩素酸ナトリウム溶液には15～30分,グルタラール溶液には30～60分浸漬することで印象体は消毒される.

　また，石膏模型の消毒には，次亜塩素酸ナトリウムまたはジクロイソシアヌル酸ナトリウムなどの消毒薬が用いられるが，消毒薬により石膏模型表面が荒れる可能性もあるため，印象体の消毒が原則となる．さらに，試適後や修理のために持ち込まれた歯冠修復物も流水下での水洗後に，印象体の消毒に準じた処理を行う.

図1　グルタラール溶液

図2　次亜塩素酸ナトリウム溶液

2 クラウンの概要と種類

到達目標

① クラウンの意義，特徴および用途を説明できる.
② 部分被覆冠の種類と特徴を列挙できる.
③ 全部被覆冠の種類と特徴を列挙できる.

1 クラウンの概要

歯の歯冠部を補綴する修復物を**クラウン**（restoration, crown）という．クラウンは大きさや形によって便宜的に異なった名称が付与されている．この名称の付与には，歴史的に多くの人々が関わっており，一概には整理できない複雑な面がある．しかし，実際は歯面のどこにクラウンが装着されるか，歯の表面積のどれくらいを占めるかなどの考え方によって名称が付与されている．

クラウンでは多くの場合に齲蝕などの硬組織疾患があり，これに対し，歯科医師が「形成」と称する歯の部分的な切削を行って，クラウンを製作，装着できるような便宜的形態を与える．つまり，クラウンの形態は齲蝕の形態や大きさで決まるというより，それぞれの部位を修復する際の**便宜的形態**に左右される．

クラウンの分類を表2-1に示す．歯科医学の分類では保持の仕方によって大きな分類がなされており，窩洞形態で保持されるものがインレー，アンレー，外側性に軸壁

表 2-1　クラウンの分類

歯冠修復物と部分被覆冠	インレー，アンレー 3/4 クラウン 4/5 クラウン 7/8 クラウン プロキシマルハーフクラウン ピンレッジ ラミネートベニア 接着ブリッジの支台装置	
全部被覆冠	全部金属冠 前装冠 ジャケットクラウン	種類によって修復の範囲が変わる
継続歯 （ポストクラウン）		

で保持されるものがクラウン，根管で保持されるものが継続歯（ポストクラウン）となっている．先にも述べたように，表2-1による分類は厳密なものではなく，時代の変化によって用いられなくなったものもあるということに注意する必要がある．

2 歯冠修復物と部分被覆冠

1）インレー，アンレー

　　インレーは歯冠修復物に分類され，咬頭頂を被覆しない．アンレーは部分被覆冠に分類され，咬頭頂を被覆する（図2-1，2）．

　　歯冠部歯質の齲蝕が小さいとき，この齲蝕部分を取り除いた後の修復方法には，**直接修復**と**間接修復**の2種類がある．直接修復は歯質の切削が少なくて済むこと，歯質と接着する材料を用いるため技工作業が不要であることから，最近では多用されている．

　　間接修復では技工作業が必要となる．インレー・アンレーによって形態，機能，外観の回復がなされるが，使用される材料は金属，陶材，レジン，複合材料などさまざまである．使用される材料によって，製作方法はもちろんのこと，使用部位などに制限がある．症例を選ばなければならないが，ブリッジの支台装置としても用いられる．

2）3/4クラウン，4/5クラウン，7/8クラウン

　　歯の表面をクラウンがどのくらい被覆するかを分数で表したものである（図2-3〜5）．全部を被覆することに対して，部分的に天然歯質が表面に残る．切削の量は，全周にわたって切削される全部被覆冠に比べて少ないが，形態が複雑になるため，製作時に適合不良などが生じやすい．

　　主としてブリッジの支台装置として有髄歯に応用されるが，最近ではあまり製作されない．

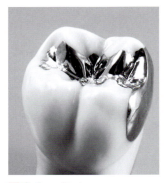

図2-1　インレー

図2-2　アンレー

図 2-3　3/4 クラウン
4 つの歯面のうち 3 面を被覆する.

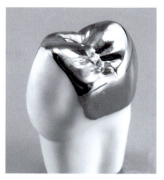

図 2-4　4/5 クラウン
5 つの歯面のうち 4 面を被覆する.

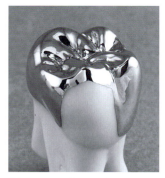

図 2-5　7/8 クラウン
8 分割された歯面のうち 7 面を被覆する.

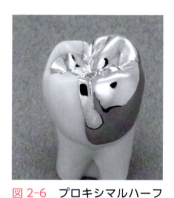

図 2-6　プロキシマルハーフクラウン
歯冠の約半分を被覆する.

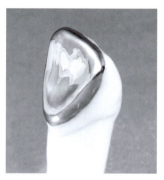

図 2-7　ピンレッジ①
歯の舌側面と隣接面の一部を被覆する.

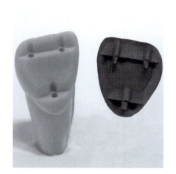

図 2-8　ピンレッジ②
舌側の形成面と修復物の内面.

3) プロキシマルハーフクラウン

歯冠の近心側あるいは遠心側半分を被覆するクラウンである（図 2-6）. 主に大臼歯でブリッジの支台装置として有髄歯に応用される.

4) ピンレッジ

前歯の有髄歯に用いられるクラウンの名称の 1 つで，舌側面に形成されたピン（通常 3〜4 本）によって維持される（図 2-7, 8）. ブリッジの支台装置として応用される.

5) ラミネートベニア

歯の唇側面のみを切削して，歯冠色材料を接着する方法である.

歯にクラウンを装着する場合，長期間にわたって外れないようにさまざまな工夫がなされている. クラウンを歯に物理的に固着するために，セメント（合着材）が用いられる. 現在では接着材（レジンセメントなど）も多用されるためクラウンの形態が

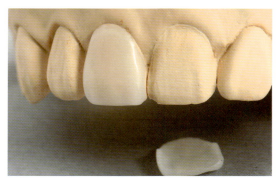

図 2-9　ラミネートベニア

以前ほど複雑ではなくなってきている．ラミネートベニアは，接着技法が進歩した結果生まれた修復方法である（図 2-9，図 6-40 参照）．

3　全部被覆冠

全部被覆冠とは，歯の全周にわたって切削がなされ，歯冠の全部が人工的な材料によって被覆されるクラウンの形態をいう．これも用途によって，強度，色調，形態などのさまざまな要求があり，目的に合わせて多くの使用材料がある．

1）全部金属冠

歯冠の全周を覆う材料が名称になっている．すなわち，臼歯部の歯冠形態を再現するために，金属を加工し製作するものである（図 2-10）．鋳造により製作する場合は**全部鋳造冠**ともいう．すべて金属で製作されるため，強度はきわめて高い．製作は比較的容易で，臼歯部の歯冠修復では高い頻度で用いられるが，金属色であるため審美的には劣る修復方法である．使用される金属は金合金，金銀パラジウム合金などがある．

2）前装冠

審美的な問題を解決するために設計された歯冠修復物をいう．外観に触れる部位を歯冠色材料で置き換えて審美性を高め，咬合などの機能を司る部分は金属のままとする（図 2-11～15）．この歯冠色材料で置き換える部分を前装部とよび，用いられる歯冠色材料の種類と金属との結合方法により名称がつけられている．

陶材焼付金属冠は，金属表面に陶材を化学的に焼き付けて製作されるものである．また，**レジン前装冠**は，金属表面に機械的維持および化学的接着によってレジンを前装して製作されるものである．

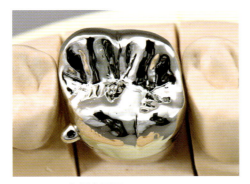

図 2-10　全部金属冠

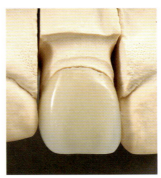

図 2-11　前装冠（唇側面）

図 2-12　前装冠（舌側面）

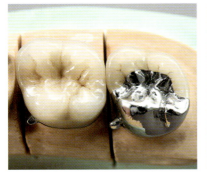

図 2-13　前装冠（咬合面）

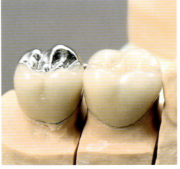

図 2-14　前装冠（頬側面）

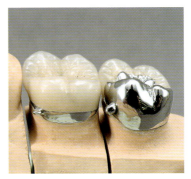

図 2-15　前装冠（舌側面）

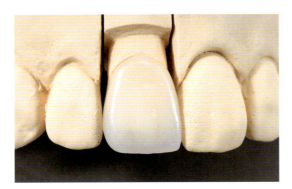

図 2-16　ジャケットクラウン（唇側面）

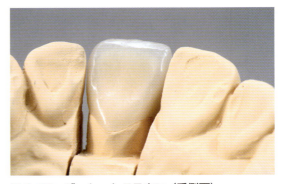

図 2-17　ジャケットクラウン（舌側面）

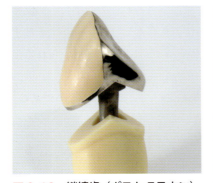

図 2-18　継続歯（ポストクラウン）

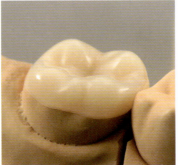

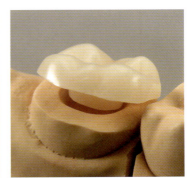

図 2-19，20　エンドクラウン（頬側面）

3) ジャケットクラウン

　　金属冠は金属色であることや，天然歯質のように光を透過しないため，審美的な修復方法としては限界がある．ジャケットクラウンとは，金属を一切使用せずに歯冠色材料で製作された全部被覆冠をいう（図 2-16, 17）．これも製作される材料により名称がつけられ，**ポーセレンジャケットクラウン**や**レジンジャケットクラウン**などがある．金属を使用しないため強度的には金属冠より劣るが，審美性を必要とする前歯部，臼歯部の修復に用いられる．最近では，コンピュータ制御による CAD/CAM システムを用いたオールセラミッククラウンや CAD/CAM 冠などもある．

4　継続歯（ポストクラウン）

　　いわゆる「さし歯」の語源となった修復方法である．歯髄（神経）がない場合（無髄歯）にのみ応用される方法で，歯根部に金属の**合釘**を挿入することで維持を求めた修復方法である（図 2-18）．技工作業の工程が少ないことからかつては多用されたが，修理や除去が困難なことから，現在では支台築造によって支台形態をつくり被覆冠とすることが多い．平行性が確保しにくいため頻度は多くないが，ブリッジの支台装置として用いられることもある．

5　エンドクラウン

　　エンドクラウンは，臼歯歯冠部と歯冠部歯髄腔に相当する部分に装着される修復物であり，歯冠色の材料で製作される（図 2-19, 20）．歯冠部と支台築造の構造が一体化しているため，対合歯とのクリアランスが十分確保される．咬合面の形成は容易であり，材料強度的にも有利である．製作は CAD/CAM システムによる切削加工（図 2-21）が前提であるが，その他の技法による製作も可能である．

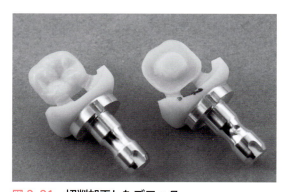

図 2-21　切削加工したブロック
（図 2-19〜21 のデザイン・切削加工は㈱松風）

3 ブリッジの概要と種類

到達目標

① ブリッジの特徴を列挙できる.
② ブリッジの構成要素を説明できる.
③ ブリッジの種類を説明できる.

1 ブリッジの概要

　歯列のなかで少数歯の欠損が生じた場合, 放置しておくと咀嚼能率の低下だけでなく, 隣在歯の欠損側への移動や対合歯の挺出を引き起こし, 咬合関係や歯周組織にも悪影響を与える. したがって, このような場合は欠損部を補綴する必要があり, 天然歯に似た形態の人工歯を用いた補綴装置によって, 欠損した部分の形態, 機能, 審美性を回復する. このときの補綴装置で, 橋のような構造をしたものを**ブリッジ**（fixed dental prosthesis）という.

　ブリッジでは, 欠損部と隣接する歯に対しては, 装置を支えるためにクラウンなどが装着される. これを**支台装置**とよぶ. また, 欠損部を回復する人工歯は**ポンティック**, ポンティックと支台装置がつながる部位は**連結部**とよばれ, 支台装置が装着される歯を**支台歯**という（図 3-1）.

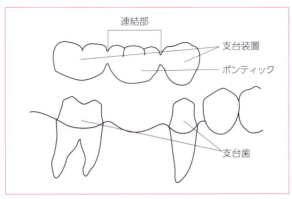

図 3-1　ブリッジの構成要素と名称
支台歯はブリッジの構成要素に含まれない.

　ブリッジでは，支台装置とポンティックに加わる咬合力が支台歯に伝わり，支台歯の歯根膜によって負担される．このためブリッジは**歯根膜負担義歯**といわれる．欠損歯数が増えるとともにそれを支持する支台歯の本数も増加する．欠損部位にもよるが，通常は1〜2歯欠損が適応となり，多数歯にわたる欠損では歯根膜のみによる負担が難しいため，粘膜による負担も考慮した**部分床義歯**が選択される．

　ブリッジは，支台装置とポンティックの**連結法**の違いにより，**固定性ブリッジ**，**半固定性（可動性）ブリッジ**，**可撤性ブリッジ**に分類され，使用される材料によっても全部金属ブリッジ，レジン前装ブリッジ，陶材焼付金属ブリッジ，オールセラミックブリッジなどに分かれる．また，ポンティックには審美性や清掃性などを考慮したさまざまな基底面の形態がある．これらは生物学的要件，構造力学的要件，審美的要件などを考慮して決定され，口腔内で長期的に機能するためには支台装置，ポンティック，連結部の設計が重要となる．

2　ブリッジの特徴

　部分床義歯と比較した場合のブリッジの利点と欠点を以下に挙げる．

1）ブリッジの利点

①形態が天然歯に近く，装着後の動揺が少ないため，装着感がよい．
②歯根膜負担であるため，天然歯に近い食感が得られる．
③咬合接触を確実に付与できるため，咀嚼能率がよい．
④発音・発声に対する障害が少ない．
⑤審美的に優れる装置が多い．

2）ブリッジの欠点

①支台装置を装着するために支台歯を形成する必要がある．
②欠損歯数や部位によって支台歯の負担能力が異なるため，適応範囲が制限される．
③大型の装置は技工作業が複雑になる．
④装着後は修理・修正が困難であることが多い．
⑤装着後の管理，清掃に習熟を要する．

3　ブリッジの構成要素

1）支台装置

　ブリッジを維持するために支台歯に装着されるもので，ポンティックを維持する役割をもつ．歯種や支台歯の状態により部分被覆冠，全部金属冠，レジン前装冠，陶材

焼付金属冠，オールセラミッククラウンなどが使用される．

2）ポンティック

　　歯が欠損した部分を補うための人工歯であり，支台装置と連結される．歯の欠損部における咀嚼，発音の機能や，形態，審美性を回復する役割をもつ．

　　適応部位や支台装置との兼ね合いによって，全部金属ポンティック，レジン前装ポンティック，陶材焼付金属ポンティック，オールセラミックポンティックが使用され，基底部の形態も**離底型，船底型，偏側型，モディファイドリッジラップ型，リッジラップ型，鞍状型，有根型，有床型，オベイト型**などに分かれる．これらは，**審美性，清掃性**などを考慮して選択される．

3）連結部

　　支台装置とポンティックを連結する部分をいい，ポンティックに加わる咬合力を支台装置に伝える役割をもつ．咬合力に耐えうる十分な強度が必要であり，できるだけ広い断面積であるほうが有利であるが，一方では審美性，清掃性，発音機能を満たす適正な鼓形空隙の確保も必要である．

　　また，粘膜面は不潔になりやすいため，連結部断面は凹部がない楕円形とし，滑沢に研磨する必要がある．これらはブリッジによる補綴治療の予後にも影響するため，設計には十分な注意が必要である．

4 ブリッジの種類

1）固定性ブリッジ

　　支台装置とポンティックがすべて固定連結され，さらに支台装置が支台歯にセメント合着されるブリッジである（図 3-2）．通常，2 歯以上の支台歯に対して合着される

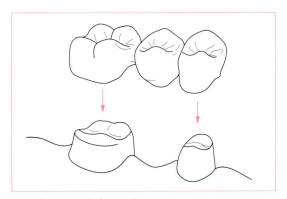

図 3-2　固定性ブリッジ

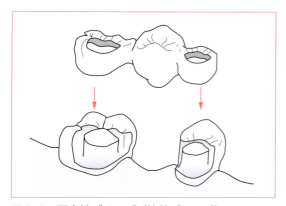

図 3-3 固定性ブリッジ（接着ブリッジ）

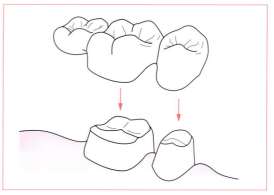

図 3-4 固定性ブリッジ（延長ブリッジ）

ため，支台歯間の平行性を確保する必要がある．臨床では最も一般的に応用されている．強度に優れ，口腔内装着後の破損が少なく，咬合圧を装置全体に分散できる．

　ワンピースキャスト法で製作されることもあるが，連結部をろう付け，あるいはレーザー溶接することもある．また，近年では CAD/CAM により，金属やコンポジットレジン，セラミックスのブロックから一塊として製作することも可能である．

（1）接着ブリッジ

　1～2 歯程度の欠損において，支台歯の歯質切削量を可能な限り少なくするために製作されるもので，接着材によって装着するブリッジである（図 3-3）．支台装置の一方が通常のインレーやクラウンの場合は，コンビネーションタイプの接着ブリッジという．

（2）延長ブリッジ

　ポンティックのどちらか 1 側のみが支台装置と連結されているブリッジである（図 3-4）．ポンティックの片側が連結されていないため，咬合圧に対する支台歯への負担は両側支持のブリッジより大きい．そのため，支台装置の本数を増やしたり，ポンティックの咬合面を小さくするなど，支台歯の負担軽減を考慮して製作される．

2）半固定性（可動性）ブリッジ

　支台装置とポンティックとの連結部のうち，一方が**可動性**，もう一方が固定性に連結されたブリッジである（図 3-5）．支台装置は支台歯に合着され，可動部には**キーアンドキーウェイ**などの**可動性の連結装置**が用いられる．歯質の切削量を少なくでき，支台歯間の平行性がとれなくてもブリッジの装着が可能となる．

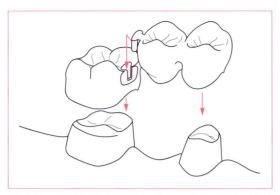

図 3-5　半固定性（可動性）ブリッジ（可動性の連結装置はキーアンドキーウェイ）

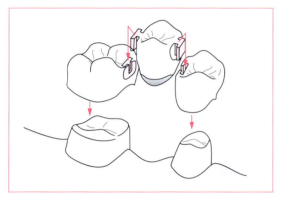

図 3-6　可撤性ブリッジ（可撤性の連結装置はアタッチメント）

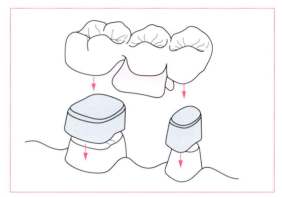

図 3-7　可撤性ブリッジ（可撤性の連結装置はテレスコープクラウン）

3）可撤性ブリッジ

　ブリッジの一部または全部が可撤性となっているブリッジである．ポンティック部のみが可撤性であるもの（図 3-6），支台装置とポンティックが可撤性であるもの（図 3-7）など種類が多い．連結部の両側を**キーアンドキーウェイ**などの**アタッチメント**としたもの，支台装置が二重構造の**テレスコープクラウン**となっているものなどがあり，支台歯の平行性が十分でない場合や**欠損部顎堤**の吸収が大きい場合，固定性ブリッジでは清掃が困難な場合などに応用される．可撤性のため審美性の回復や清掃性の保持に有効であるが，技工作業が複雑になる．

　なお，図 3-7 に示す構造の補綴装置は基本的には可撤性であることから，あえてブリッジの名称をつけることなく，単に可撤性補綴装置，可撤性部分床義歯として分類されることもある．

歯冠修復物と作業用模型の保管と管理

　歯科技工所や院内技工室での歯冠修復物製作工程においては，表面に研磨が施される．歯冠修復物表面には，製作工程で研磨材などが付着するため，スチームクリーナーや超音波洗浄器によって洗浄，除去される．洗浄後は歯冠修復物材料に対応した消毒方法を採用することが必要である．歯冠修復物に用いられる材料には，金属系材料，セラミック系材料，レジン系材料などがあり，以下の点に注意し消毒する．

　①次亜塩素酸ナトリウム溶液は金属腐食の原因となるため，防錆剤が添加された次亜塩素酸ナトリウム溶液を使用する（図1）．

　②エタノールはレジン前装冠，レジン前装ブリッジ，CAD/CAM冠，ファイバーポストなどのレジン系材料を一部含む歯冠修復物と中間製作物の洗浄には不適である．

　③紫外線照射による消毒は殺菌効果が高いが，歯冠修復物の内面などの紫外線が当たらない部分は未消毒になるため，均等に消毒できるよう方向を変えて照射する必要がある．

　また，消毒した歯冠修復物は，口腔内に装着されるまでの間に汚染されないように密閉できる容器にて保管することが必要である．

　厚生労働省医政局から2012年4月に通知された「歯科技工所における歯科補てつ物等の作成等及び品質管理指針」には歯科技工録の作成が定められており，歯科技工録に記録する内容に歯科補てつ物の「洗浄と消毒」が示されている．また，2013年に改正された歯科技工士法施行規則では，第13条の2に「歯科技工所の構造設備基準」が追記され，微生物による汚染を防止するのに必要な構造及び設備を有することが開設者に求められている．歯科技工所や院内技工室から納入される歯冠修復物と中間技工物などは汚染されていないことが必須であり，歯科医師が，歯科技工物が消毒されたことを確認できるように，歯科技工士は自身の責任において，納入伝票や歯科技工録（p.186の記載例を参照）に洗浄と消毒について明記すべきである．

図1　防錆剤が添加された次亜塩素酸ナトリウム溶液

Column

4 クラウンとブリッジの具備要件

到達目標

① 生物学的要件を説明できる.
② 構造力学的要件を説明できる.
③ 化学的要件を説明できる.
④ 審美的要件を説明できる.

　　クラウンやブリッジによって形態，機能そして審美性の回復が行われ，それが口腔の周囲組織と調和して長期間にわたって顎口腔系の健康維持・増進に役立つためには，生物学的，構造力学的，化学的そして審美的要件を満たさなければならない.

1 生物学的要件

1) 歯および歯列との関係

(1) 歯の形態

　　前歯部および臼歯部は，解剖学的な基本形態を有することが求められる（図 4-1〜4，『口腔・顎顔面解剖学』参照）.

a. 前歯部

　　切歯と犬歯があり，口腔内・歯列の前方に位置し，食物の切断および発音などの機能と審美的要件を司る.

a) 切歯

　　唇側面はやや凸隆し，3本の唇側面隆線が存在して切縁部の**切縁結節**に移行している. 切縁は水平ではなく，歯の長軸に対してやや傾斜している. 切縁結節は増齢的に咬耗し，徐々に消失する.

　　舌側面は反対に陥凹し，周辺部は**辺縁隆線**によって盛り上がっていて，V字形を呈している. 歯頸部近くは，臼歯部の舌側咬頭に相当する**基底結節**が隆起している. 舌側面の形態は機能時の**アンテリアガイダンス**にとって重要である.

　　歯頸線は，唇側と舌側では歯根側に向かって凸彎し，隣接面は歯冠側に向かって凸彎している. 近心面のほうが遠心面よりいくらか高い位置にある.

　　以下，上下顎切歯の特徴を挙げる.

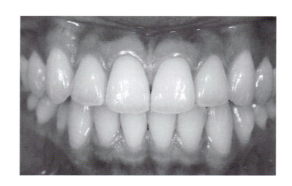

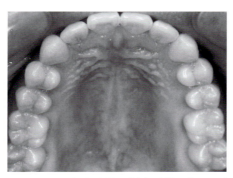
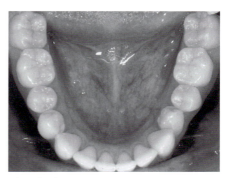

図 4-1～3　解剖学的な基本形態を有した上下顎の歯と歯列

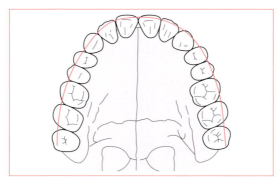

図 4-4　正常な歯の排列は放物線状の歯列内に収まる

①上顎中切歯：切歯群のなかで最も大きく，開口時や**スマイル**時には最もよく目につくため，顔貌との調和で重要な要素をなす．

②上顎側切歯：退化傾向の強い歯であり，中切歯に比べて丸みを帯び，樽状歯，栓状歯，円錐歯など変異に富むことが多い．欠如することもまれではない．

③下顎切歯：中切歯と側切歯を比べると，中切歯は側切歯より小さく，唇側面がほとんど平坦で，舌側面の辺縁隆線の発達も弱い．切縁の位置と形態は，上顎切歯舌側とのアンテリアガイダンスにとって重要である．

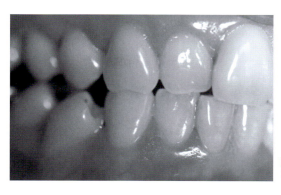

図 4-5　審美的かつ機能的にキーとなる犬歯の咬合

b）犬歯

犬歯は下顎安静位では口角部に位置し，歯列のなかでは切歯部から臼歯部への移行部にある骨植堅固な大きな歯である．歯列内において最も長く残存する歯であり，**機能運動時**にはガイドとなる歯である（図 4-5，p.76 参照）．

唇側面では，尖頭から歯頸部に向かって縦に走行する唇側面隆線が著明であり，舌側面においても**辺縁隆線**や**基底結節**が著しく発達している．この傾向は上顎犬歯において顕著である．犬歯の尖頭は，増齢的に**側方運動**時の咬耗によって消失することが多く，萌出時の形態とは著しく異なる．

b．臼歯部

小臼歯と大臼歯があり，その大きさ，形態は大きく異なるが，機能的にはいずれも，食物の粉砕，臼磨に大きく関わる歯である．

a）小臼歯

切歯と比べると舌側半が急激に発達して固有の咬頭を形成するため，**双頭歯**ともよばれる．上顎小臼歯舌側咬頭および下顎小臼歯頰側咬頭は**機能咬頭**とよばれ，咬頭嵌合位の保持ならびに機能時に重要な役割を果たす．上顎小臼歯頰側面および下顎小臼歯咬合面は開口時やスマイル時にみえるため，審美修復処置を行う必要がある．

小臼歯は中心溝によって頰舌側咬頭が完全に二分されている．上顎小臼歯においては，頰側咬頭と舌側咬頭の隆線は会合部においてやや近心に折れ曲がり，遠心部に凸側を向けた弧をなす．下顎小臼歯では中心溝において食い違いが生じる．

近心辺縁隆線部には**介在結節**が存在することもある．

b）大臼歯

上顎大臼歯は 4 咬頭，下顎大臼歯は 5 咬頭存在するいわゆる**多咬頭性**の歯であり，食物の臼磨作業に適している．歯列の後方部に位置し，顎関節や筋肉との関係においては**てこの原理**により**最大咬合力**を発揮する領域でもある（図 4-6）．一般的に，下顎第一大臼歯は歯列のなかで最も早期に喪失する．

大臼歯咬合面には，咬頭頂，中心咬合面隆線，辺縁隆線，中心溝，窩，副隆線，副

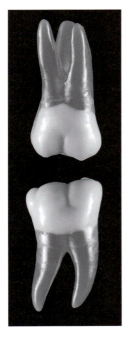

図 4-6　最大咬合力を発揮する上下顎第一大臼歯
（全国歯科技工士教育協議会編：口腔・顎顔面解剖学．医歯薬出版，東京，2016.）

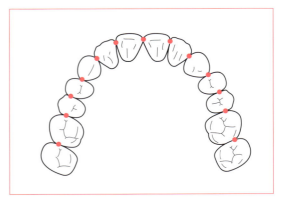

図 4-7　個々の歯は隣接面接触点（面）によって連なっている

溝がある．それぞれ役割があるため，歯冠修復物の製作にあたってはこれらを再現しなければならない．

以下，上下顎大臼歯の特徴を挙げる．

①上顎大臼歯：咬合面は菱形を呈し，頬舌径が近遠心径よりやや大きい．舌側咬頭は頬側咬頭に比べて鈍円化しており，咬頭のなかでは近心舌側咬頭が最も大きく，遠心舌側咬頭が最も小さい．スマイル時には近心頬側面がみえることがあるため，**7/8 クラウン**を装着する場合もある．

②下顎大臼歯：咬合面は方形を呈し，頬側に 3 咬頭，舌側に 2 咬頭を有する．頬側咬頭は舌側咬頭に比べて鈍円化しており，咬頭のなかでは近心頬側咬頭が最も大きい．特に，第二大臼歯では遠心咬頭がかなり小さくなる．

（2）歯列との調和

歯冠修復物は固有の歯列と調和したものでなければならない．そのためには隣接面接触点（面）によって隣在歯と適切に接触し，歯列の安定をはかる必要がある（図 4-7）．

a. 隣接面接触点（面）の意義

①歯列および咬合の保持

②食片圧入の防止

③歯間乳頭の保護

④歯の不正な移動の防止

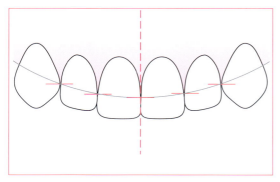

図4-8　上顎前歯部における接触点の位置
(Rufenacht, C.R.：Fundamentals of Esthetics. Quintessence, Chicago, 1990.)

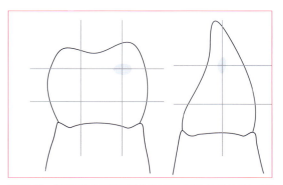

図4-9　前歯および臼歯における接触点の位置・形態

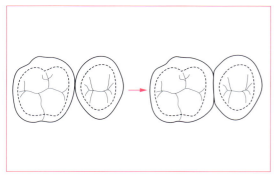

図4-10　咬合面から見た接触点の形態（頬側および舌側の鼓形空隙の状態）
点接触から面接触に移行する.

b. 隣接面接触点（面）の位置および形態

a）隣接面接触点（面）の位置

　上部・下部鼓形空隙や頬側（唇側）・舌側鼓形空隙の大きさに関係する. 前歯部は唇舌的には中央部，上下的には切縁側 1/3～1/4 とし，臼歯部は頬舌的には頬側 1/3，上下的には咬頭側 1/3～1/4 とする（**図4-8, 9**）.

b）隣接面接触点（面）の形態

　萌出時には**点接触**であるが，咀嚼や生理的動揺などにより増齢的に**面接触**に移行し，臼歯部では頬舌的な長さが 2 mm，上下的な幅が 1 mm の面となる（**図4-10**）.

c）隣接面接触点（面）の強さ

　弱すぎると食片圧入や歯の移動が生じ，強すぎると隣在歯を圧迫して支台歯に装着できない. 接触点の強さは**コンタクトゲージ**を用いて検査するが，通常，50 μm のものは入るが 110 μm のものは入らないくらいが適正である（**図4-11, 12**）.

（3）支台歯との関係

　支台歯形成された歯面は象牙質が露出しているため，**知覚過敏**を生じやすく，外来の**温熱刺激**や**機械的刺激**に対して鋭敏に反応し，長期間続けば歯髄の炎症症状を呈する. また，象牙質はエナメル質に対して有機成分が多量なため，抵抗力が弱く細菌感

図4-11　隣接面接触点の強さを検査するコンタクトゲージ

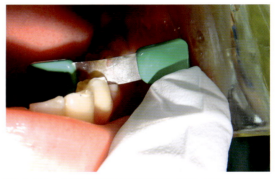

図4-12　歯冠修復物の隣接面に挿入されたコンタクトゲージ

染による**二次齲蝕**の危険性もある．したがって，形成によって露出した歯面は歯冠修復物によって完全に被覆されなければならない．

2）歯周組織との関係

（1）辺縁部の適合

　歯冠修復物の辺縁部は確実な適合が求められる．辺縁部の不適合は，**食物残渣の停滞やデンタルプラークの付着**を招くなど歯頸部付近の環境を悪化させ，細菌感染による**二次齲蝕**の発生や歯肉縁部の炎症症状を惹起する（図4-13〜15）．

　また，歯冠修復物の辺縁は，歯肉縁下において**生物学的幅径**（図4-16）を損傷しない位置に設定されるべきで，**上皮付着**を破壊するような位置に設定してはいけない．

（2）歯冠の豊隆

　咀嚼時の食物の流れは歯冠部の豊隆度合によって決定され，自浄作用による適度な刺激により歯肉の健康が保持される（図4-17，18）．

　過大な豊隆（オーバーカントゥア）は，歯肉への刺激を減少させて歯肉縁部における食物残渣の停滞を招き，**うっ血，腫脹，デンタルプラークの蓄積**の原因となる．一方，**過小な豊隆（アンダーカントゥア）**は，歯肉への過剰な刺激となって歯肉縁部の外傷や炎症，退縮を招く（図4-19〜21）．

（3）歯冠修復物の表面

　歯冠修復物の表面は十分な**研磨**が行われている必要がある．歯冠修復物の表面が粗糙であったり鋭利な部分が残っていると，粘膜や舌を刺激してびらんや炎症症状を惹起する．また，粗糙面はデンタルプラークや細菌が付着し，口腔内環境を悪化させる．

　審美的にも，研磨あるいは**つや出し焼成**（グレージング）によって天然歯のような**光沢**を保つことが重要である．

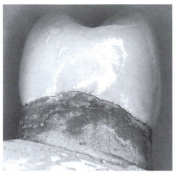

図 4-13　歯頸部における辺縁部の確実な適合

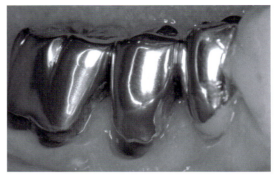

図 4-14　クラウン辺縁部の不適合から生じた齲蝕

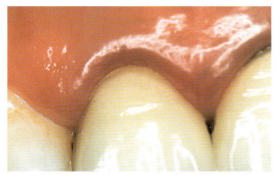

図 4-15　クラウン辺縁部における歯肉の腫脹

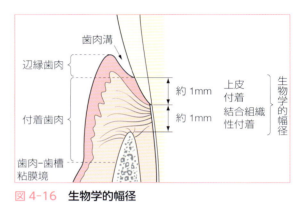

図 4-16　生物学的幅径
（矢谷博文ほか編：クラウンブリッジ補綴学第 5 版．医歯薬出版，東京，2014．より一部改変）

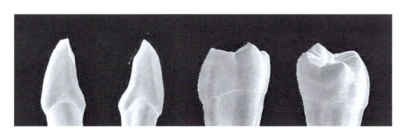

図 4-17　隣接面からみた前歯および臼歯の唇頬舌面の豊隆

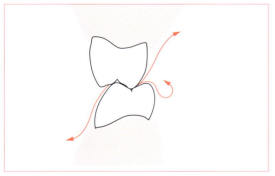

図 4-18　咀嚼された食物の流れ

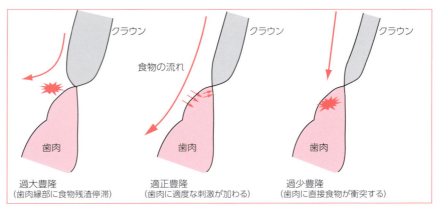

図 4-19　適切なクラウンの豊隆によって歯肉には適度の刺激が加わる

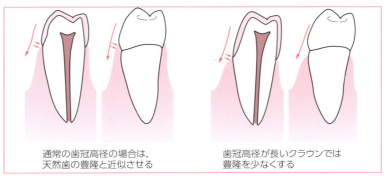

図 4-20　適切なクラウンの豊隆

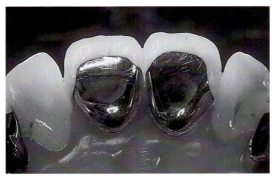

図 4-21　上顎前歯舌側面の過大な豊隆

3）清掃性との関係

　　固定性の歯冠修復物においては，清掃の行いやすい形態を付与しなければならない．患者が日々の口腔ケアにおいて天然歯と同様に清掃できるように，歯ブラシ，デンタルフロス，歯間ブラシなどが到達しやすい形態とする必要がある．また，口腔内には唾液による**自浄作用**や舌および粘膜による**清掃作用**があるため，歯冠修復物の装着によってこれらを阻害しないようにしなければならない．クラウンにおいては，特に下

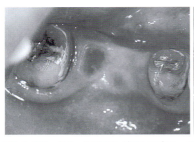
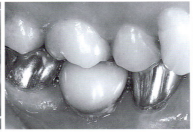

図 4-22〜24　清掃性が悪いブリッジのポンティック基底部

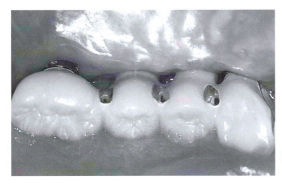

図 4-25　清掃性および装着感に優れた上顎臼歯部ブリッジのポンティック形態

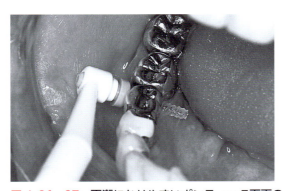
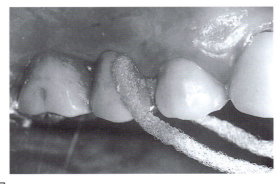

図 4-26, 27　不潔になりやすいポンティック下面の清掃

　部鼓形空隙と歯間乳頭との関係，ブリッジにおいてはポンティックと欠損部顎堤の形態について十分配慮する（図 4-22〜27）.

　口腔内に装着された歯冠修復物の予後不良の原因の多くは二次齲蝕と歯周疾患であり，装着後の清掃性はいずれにも関係する重要な要因となる.

4）機能の回復

　顎口腔系の重要な機能は，咀嚼機能，嚥下機能，発音機能および発声機能である. これらを回復し改善することが歯冠修復物の大きな使命である.

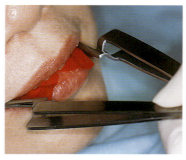
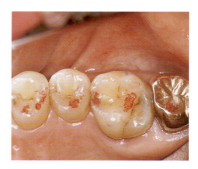

図 4-28〜30　咬合紙による咬合検査

図 4-30（右）は，咬合紙によって印記された臼歯部の咬合接触を示す．

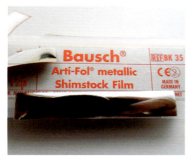
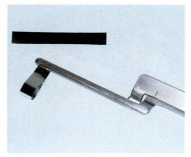
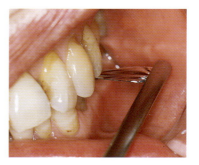

図 4-31〜33　レジストレーションストリップスによる引き抜き試験

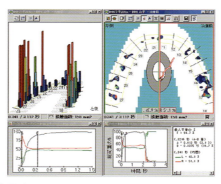

図 4-34, 35　咬合接触の客観的評価を行う T-スキャン

（1）咀嚼機能，嚥下機能の回復

　歯冠修復物の装着によって，円滑で正常な**咀嚼機能，嚥下機能**が回復されなければならない．そのためには次の要件が求められる．

　①対合歯との安定した**咬合接触**を付与すること（図 4-28〜35）．

　②臼歯部における咬合面接触は可及的に**多点均等接触**とすること（図 4-30）．

　③咬合力あるいは咀嚼力が歯の長軸方向に伝達され，側方圧が加わらないように配慮すること．

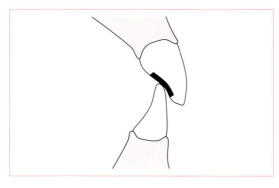

図 4-36　アンテリアガイダンス

④下顎運動時に**干渉**となる**咬合接触**をつくらないこと（円滑な**下顎運動**が行われるよう配慮すること）.

⑤上下顎の**被蓋関係**を正常に回復すること.

⑥下顎の**偏心運動**が円滑に行われるよう，適切な**アンテリアガイダンス**を付与すること（図 4-36，p.75 参照）.

⑦**嚥下位**において**咬頭嵌合位**付近で咬合接触すること（嚥下位において咬頭嵌合位付近で軽く接触すると，正常な嚥下機能が営まれる）.

（2）発音機能・発声機能の回復

前歯部の形態や排列は，**発音機能**，特に**歯音**（上顎前歯の舌側・切縁と舌尖・舌端とで調音して出す子音）発声時に大きく関与する．また，口唇は**破裂音**発声時に関与する部分である．したがって，歯の排列や豊隆などに十分配慮して患者固有の解剖学的形態を付与する必要がある.

5）形態の回復

歯冠修復物はそれぞれの歯の解剖学的な基本形態に準じて製作するが，細部においては個々の患者固有の形態があり，どれ一つとして同じ形態の歯はない．したがって，形態回復にあたっては，機能的要件，衛生的要件および審美的要件に加えて，患者の要望なども聞き入れて製作する必要がある.

2 構造力学的要件

1）材料学的要件

（1）機械的強度

咬合力は，個人差，性差，年齢差あるいは歯および歯周組織の健康状態によって大きく左右されるが，一般的に成人男性の**最大咬合力**は第一大臼歯部で平均 30〜60 kg，前歯部で 10〜12 kg である．また**咀嚼力**は，食品の種類や咀嚼時期によっても異なる

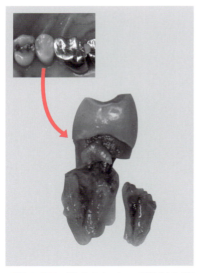

図 4-37　咬合力によって生じた歯根破折

図 4-38　クラウン咬合面に生じた対合歯との摩耗面

が，最大咬合力の 1/2〜1/4 程度である．**歯ぎしり**などの**パラファンクション**（異常筋機能活動）がある場合にはこれ以上の力が負荷される（図 4-37）．したがって，歯冠修復物には予期せぬ力を受けても耐えられるだけの機械的強度が必要となる．さらに，金属，レジン，陶材の単体材料の強度もさることながら，前装冠として 2 つの材料を組み合わせた場合の**結合力**（接着力や焼付強さ）も十分な強度を有することが必要である．

　通常，修復材料の**機械的強度**は，**圧縮強さ，引張強さ，曲げ強さ，硬さ，弾性係数，破壊靱性値**などの特性値で表される（『歯科理工学』参照）．

（2）耐摩耗性

　口腔の衛生管理のためには，患者は日々ブラッシングを行う必要がある．したがって，これによって容易に摩耗する材料であってはならない．また，歯冠修復物が破損しないためには，硬くて**耐摩耗性**に優れた材料が好まれるが，口腔内においては対合歯との咬合接触が常に生じること（図 4-38）から，対合歯となる天然歯エナメル質あるいは各種修復材料と調和した耐摩耗性を有する必要がある．さらに，生体においては増齢的にエナメル質の**咬耗**が認められることから，装着する歯冠修復物もそれと同じような性質をもつことが好ましい．

（3）熱膨張係数

　口腔内温度は摂取される食物の温度差によって常に変動があり，歯冠修復物も膨張，収縮を繰り返すことになる．歯冠修復物と歯質の**熱膨張係数**が大きく異なっていると，

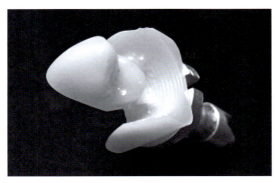

図 4-39　CAD/CAM システムによって切削加工されたコンポジットレジンクラウン

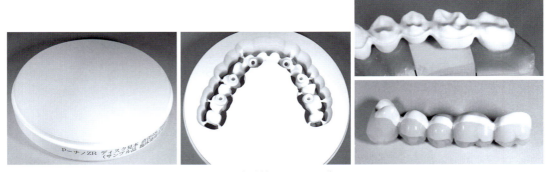

図 4-40〜43　CAD/CAM システムによって切削加工されたジルコニアフレーム

歯冠修復物と歯質との間に間隙が生じて**知覚過敏**や歯冠修復物の脱離，**二次齲蝕**発生の原因となるので注意が必要である．

（4）成形性

　歯の形態を再現するためには，成形法が優れていることが望ましい．金属加工においては，鋳造操作が容易であり，その後の調整や研磨が行いやすいことが必要で，線鉤などの屈曲操作においては，専用のプライヤーによってワイヤーの特性を変化させずに屈曲が可能であることが必要である．また，レジンや陶材においては，ペーストやパウダーの築盛，賦形が容易で，重合や焼成操作も高精度で短時間に行えることが必要である．最近では CAD/CAM システム（図 4-39）が注目され，コンポジットレジンやセラミックスを切削加工するが，材質に合った加工パスの開発や切削工具の負担が少ないことが要求される．特にジルコニアは，鋳造やプレス加工では成形できないことから，半焼結体の軟らかなジルコニアを切削加工した後，焼成する方法が一般的であり（図 4-40〜43），焼成収縮を見込んだ大きめの切削加工が行われる．切削加工はブロックやディスクから除去加工によって成形される一対一の対応であるが，今後注目される付加造形加工法は，光造形法，粉末焼結法，インクジェット法，樹脂押

図 4-44，45　3D プリンターによる成形加工

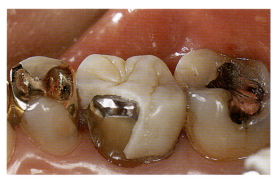

図 4-46　繰り返される咬合力・咀嚼力によって生じたセラミッククラウンの破折

出し法などの盛り上げによる 3D プリンター方式の積層加工で，一度に多数個の成形加工が可能である（図 4-44，45）．

2）力学的安定性

（1）修復材料の特性

　金属は，材料としての靱性が大きいため，口腔内で外力に十分耐えられる強さと剛性を有しているが，**セラミックス**や最近の**ハイブリッド型コンポジットレジン**は，**塑性変形**しないため過大な外力に対して**破壊**が生じる（図 4-46）．したがって，このような破壊を防ぐためには，十分な厚みの確保と支台歯への合着が必要となる．また，前装冠においては，金属と陶材またはレジンとの境界部が咬合接触領域に設計されないような配慮も必要である．

（2）ブリッジにおける設計

　ブリッジの設計でも構造力学的な配慮が必要であり，**抵抗性**，**均衡性**および**安定性**の諸要素を考慮しなければならない．

支台歯および欠損歯の歯根膜表面積の指数の和をもって表す

デュシャンジュの指数判定の公式

r＝R－(F+F×S)

R:支台歯の指数の総和
F:欠損歯の指数の総和　F×S:補足係数(欠損歯が多い場合)

r＞0:ブリッジ可　r＜0:ブリッジ不可　r＝0:ブリッジ限界

上顎歯の指数	2	1	5	4	4	6	6	4
歯種	1	2	3	4	5	6	7	8
下顎歯の指数	1	1	5	4	4	6	6	4

図 4-47　ブリッジの抵抗性の判定

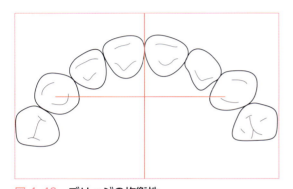

図 4-48　ブリッジの均衡性
支台歯が正中線をはさんで左右均等に配置されたほう
が，ブリッジのバランスがよい.

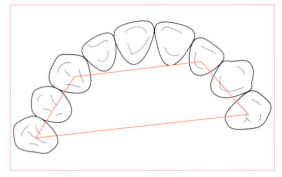

図 4-49　ブリッジの安定性
支台歯を連ねた形態が多角形で，その面積が大きいほど
ブリッジは安定する．支台歯が片側に偏らないように配
慮する.

　ブリッジに加わる咬合圧は，それを支える支台歯の歯根膜によって支持される（3章
参照）．「支台歯歯根膜表面積の総和が，補綴される歯の**歯根膜表面積**の総和に等しい
か，それ以上でなければならない」という**アンテ（Ante）の法則**や**デュシャンジュ
（Duchange）の指数**（図 4-47）によってブリッジの抵抗性を判定できるため，設計
の際には配慮する必要がある．また，均衡性および安定性の観点からは，口腔内にお
ける左右的なバランスや一方に偏った支台歯数がないように配慮すべきである（図
4-48, 49）．しかし，これらはあくまで健全な状態である歯に対して応用されるもの
であり，実際には歯槽骨の支持状態や対合歯の状況などを考慮して設計すべきである.

　さらに，ブリッジにおける連結部には大きな応力が生じる（図 4-50～53）．したが
って，ブリッジの破折や変形が生じないような十分な補強構造が必要であり，**ろう付
け**や**レーザー溶接**によって行う場合には，支台装置に用いた金属との合金化によって
強度を付与しなければならない.

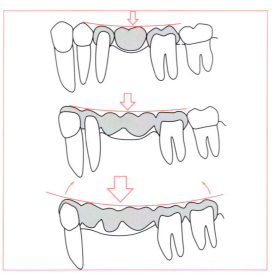

図 4-50 ポンティックが長くなると，負担荷重が大きくなり，たわみ量も増える．これにより，連結部の応力も大きくなる

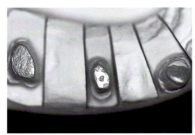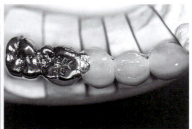

図 4-51〜53 大型のブリッジでは特に力学的配慮が必要
ここでは，中間支台歯に加わる力を半固定部で解放している．

3) 維持力

　維持力とは歯冠修復物の挿入方向に対して抵抗する力をいう．歯冠修復物の維持力は，**支台歯・クラウン・合着材**（図 4-54〜56）の各要因によって決定されるので，長期間口腔内で機能して維持されるためにはこれらすべてを満たす必要がある（図4-57）．維持力には**機械的維持力**と**化学的維持力**があり，前者は**支台歯形態**やクラウンの**適合性・内面性状**など，後者は**接着材**（**レジンセメント**）などの維持要素をいう．特に，歯科技工においてコントロールできるのはクラウンに関する要因である．作業用模型に対する適合性に優れ，内面は**ブラスト処理**がされたような性状をもち，咬合力に耐え得る強度を有したクラウンを製作する必要がある．

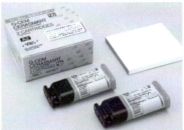

図 4-54〜56　歯冠修復物の接着に用いる代表的な接着材（レジンセメント）

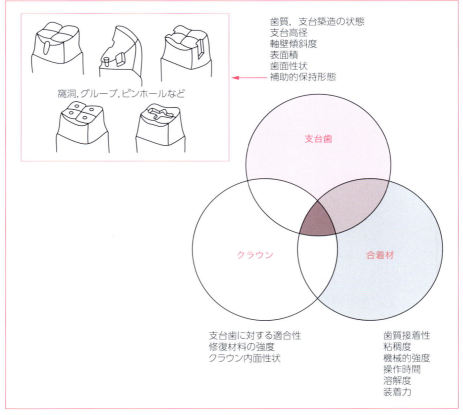

図 4-57　歯冠修復物の維持力に関係する要因

3　化学的要件

1）材料学的要件

（1）生体安全性

　　歯冠修復物に用いられる材料は，生体に対して毒性，発癌性，アレルギー性などの為害作用を示さないものでなければならない．また，口腔内は唾液によって常に湿潤状態にあるため化学反応を生じやすく，**口腔内常在菌**と反応することによって産生物

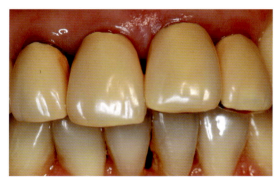

図 4-58 長期間口腔内に装置された
前装部レジンの変色

質を生じることがあるため，これによって味覚や嗅覚あるいは触覚に障害を及ぼさないものである必要がある．このほか，材料の構成成分の一部が唾液によって溶解したり，吸水性によって物性に変化を生じたりすることもある．たとえば，金属冠の金属イオンが溶出したり，合着材として用いた歯科用セメントが口腔内で長期間唾液にさらされて溶解すると，二次齲蝕の原因となる．したがって，歯冠修復材料は，長期間口腔内に装着されても安定した**化学的特性**を有することが絶対条件となる．

（2）ガルバニー電流

　口腔内の唾液を電解質として，**異種金属**間に電流が生じる現象を**ガルバニックアクション**というが，この電流（ガルバニー電流）によって歯髄に一過性の激痛が走ることがある．特に貴金属合金に対して非貴金属合金が接触すると，非貴金属合金側が電子を失って腐食する（**ガルバニー腐食**）．腐食しやすい金属面は，**イオン化**傾向の大きい側，**酸素濃度**の小さい場所，金属組織の異なる**結晶粒界**，応力のかかった面などである．したがって，歯冠修復物に用いる合金は口腔内で安定した単一の金属（合金）であることが望ましい（『歯科理工学』参照）．

2）化学的安定性

（1）耐変色性

　表面の付着物や表面の酸化，**硫化生成物**によって，本来の歯冠修復物の色調が変化したり脱色することを変色といい，審美性を損なう結果となる．

　口腔内に装着された歯冠修復物の**色調**が変化する原因には，**外的因子**と**内的因子**がある．特に外的因子としては，歯冠修復物の表面の性状が粗雑であると沈着物によって変色し，また金属では唾液を介した化学反応によって変色する．**つや出し焼成**（グレージング）された陶材はほとんど変色することはないが，有機材料であるレジンでは，唾液を吸水することによって数年で変色を来たすこともある（図 4-58）．特に，最近の**ハイブリッド型コンポジットレジン**はフィラー含有量が高いため，適正な**重合方法**と十分な**研磨操作**によって表面を滑沢にしておかないと，経年的に変色が生じた

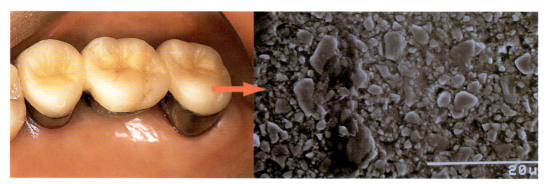

図 4-59　長期間口腔内に装置されたコンポジットレジンの表面あれ
フィラーの突出により表面の滑沢性が失われる．

図 4-60　口腔内に装置された金属ブリッジの腐食と変質

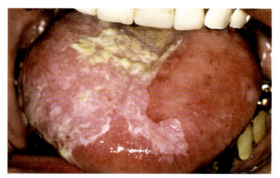

図 4-61　金属冠が原因と考えられるアレルギー

り，咬耗によって対合歯の金属の色調が付着することもある．歯冠修復物表面の研磨操作は，変色を防ぐために重要な過程である（図 4-59）．

（2）耐食性

　唾液は pH 6～8 で 1 日あたり 1,000 mL 以上分泌されており，酸やアルカリに対しての緩衝作用を有する各種イオンやタンパク質を含んだ**電解質水溶液**である．このような口腔内環境下にあるため，導電性を有する金属材料が直接接触したり，唾液を介して電流が生じると，**電気化学的腐食**を起こして材料劣化が促進される．また，歯冠修復物に用いられる金属はほとんどが合金であるため，不均一な組成があると合金内部の**結晶粒界**で電気化学的腐食を生じる（図 4-60）．口腔内では咀嚼力や咬耗・摩耗による機械的負荷が常に加わり，摂取する食品による pH の変動によって腐食が起こりやすい環境にあるため注意が必要である．歯冠修復物表面の研磨操作は腐食を防ぐために重要な過程である．

　以下，**腐食**による問題点を示す．

　①合金表面が色調の濃い化合物に覆われて，審美性が低下する．

②表面があれて舌感が悪くなる.

③歯冠修復物の**構造的破壊**につながる.

④**ろう付け部**,**共晶合金**などに局所電池を生じて変色しやすい.

⑤表面に**鋳巣**などがある場合には点蝕を生じる.

(3) アレルギー反応

生体内での免疫反応に基づいて生じる二次的反応が生体に対して障害的に作用する現象で,特異的抗原に対する過敏な反応である.口腔内では,金属材料の溶解によって**金属イオン**を溶出すると,アレルギー反応の原因となる(図 4-61).

金属アレルギーは,腐食によって溶出した金属イオンがキャリアタンパク質と結合して抗原となることによって引き起こされる遅延型過敏症であり,血流によって,口腔内のみならず遠隔部位にまで皮膚炎を発症する.ニッケル,コバルト,クロムはアレルギー性が高く,これらの元素を含む非貴金属合金は金属アレルギーの原因となりやすい.また,水銀もアレルギー性が高く,アマルガム充塡が原因のアレルギー症例は多く報告されている.チタンやニオブなどは生理的環境下で酸化物として安定しており,アレルギー反応の可能性は低い.

4 審美的要件

歯を修復する目的には,形態および機能の回復とともに審美性の改善がある.かつては,患者の要求とは無関係に前歯部領域にも金属を用いた修復方法が行われていた(図 4-62)が,最近では患者の要求度も高く前歯部のみならず臼歯部修復においても天然歯を再現する高い審美性が要求される(図 4-63).歯の審美性とは,単に見た目の美しさだけでなく,かむ,話す,外れない,壊れないなどの構造的な要素も含まれる.さらに,歯周組織とりわけ歯肉との色彩的,生物学的な調和も要求される.

歯の審美性を回復するためには,以下の要件が参考になる.

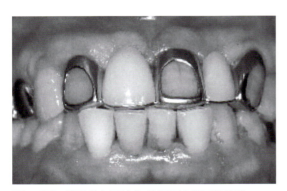

図 4-62　審美的に不良な前歯部の歯冠修復物

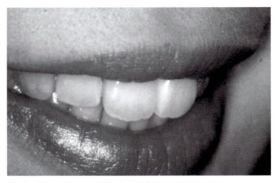

図 4-63　美しい口もとは健康の証である

①歯の形態：上顎中切歯は，顔貌の形態と相似している

②歯の大きさ：長径と幅径の比率

③歯の長軸：正中線に対する傾斜

④歯の排列：ゴールデンプロポーション

⑤歯列の彎曲：スピーの彎曲・ウィルソンの彎曲

1）材料学的要件

歯冠修復で扱う審美的材料としては，**セラミックス**と**レジン**（間接修復用コンポジットレジン）がある．

セラミックスが歯冠修復に応用された歴史は古く，1880年にC. M. Richmondによって考案された陶歯を金で裏装した**継続歯（ポストクラウン）**がはじまりである．その後, C. H. Land が1903年に**ポーセレンジャケットクラウン**として陶材単体のクラウンを臨床応用し，1950年代に入ってからは陶材と金属を溶着させて審美的な歯冠修復物を製作するための研究が始まった．しかし，この頃は陶材と金属との熱膨張率の差や金属の融点と陶材の焼成温度の問題があった．これらの問題点を解決するために陶材の改良や専用金属の開発が行われ，現在，審美的な歯冠修復法としては最も広く臨床応用されている**陶材焼付金属冠**（陶材焼付鋳造冠）（図4-64～68）が完成された．さらに最近では，**高強度セラミックス**の開発が進み，金属の介在しない，より審美性の高い歯冠修復物として**オールセラミッククラウン**が注目されている．

一方，1950年頃には陶歯前装の全部被覆冠の欠点を補い，審美的に優れたレジン前装を歯冠修復物に応用する研究が始まった．レジンの開発・進歩は急速に進み，MMA-PMMA系から**ガラスフィラー含有レジン**，**有機質複合型レジン**，そして最近では**ハイブリッド型コンポジットレジン**へと進化してきた．一時，変色・摩耗しやすい材料として高い評価を受けなかった時代もあったが，最近では耐摩耗性も向上し，操作性に優れた材料として，また経済的な優位性もあって臨床に幅広く応用されている．このようなオールセラミッククラウンやハイブリッド型コンポジットレジンの最近の普及は，接着技術の革新があってのことである（図4-69～71）．

2）形　態

歯の形態，特に上顎中切歯の形態はその人の顔や歯列全体の縮小形であるといわれている．男性は角張った男性的な，女性は丸味のある女性的な歯の形態をし，高齢者では若年者に比べて**咬耗**や**摩耗**による形態変化が生じている．歯に反射する光の影響や隣在歯との対比によって，歯幅や長さが異なってみえることもある．

また，歯冠修復物の形態だけではなく，歯周組織，特に歯肉との関係は特に重要である．前歯部の下部**鼓形空隙**に相当する部位に**ブラックトライアングル**が生じることは審美性を損なうことになる（図4-72）．

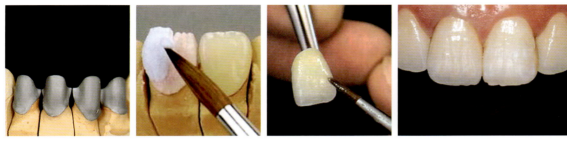

図 4-64〜67　CAD/CAM システムによって製作したメタルフレームに陶材を焼き付けたクラウン

図 4-68　付加造形法によるフレームを用いた陶材焼付金属ブリッジ

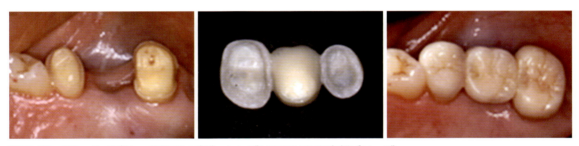

図 4-69〜71　ハイブリッド型コンポジットレジンを用いた臼歯部ブリッジ

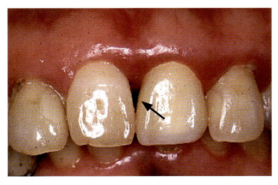

図 4-72　歯冠修復物間に生じたブラックトライアングル（下部鼓形空隙）

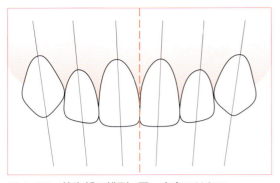

図 4-73　前歯部の排列. 同一方向ではない
(Rufenacht, C.R. : Fundamentals of Esthetics. Quintessence, Chicago, 1990.)

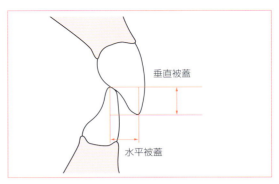

図 4-74　上下顎前歯部の被蓋関係

垂直被蓋

水平被蓋

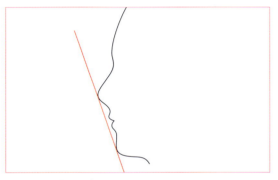

図 4-75　E-ライン

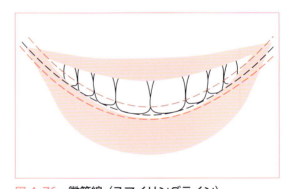

図 4-76　微笑線（スマイリングライン）
(Rufenacht, C.R. : Fundamentals of Esthetics. Quintessence, Chicago, 1990.)

3）排列（歯列との関係）

　　歯の修復にあたっては，その歯の形態や色調の回復だけではなく，顔全体のなかで調和するようにしなければならない．したがって，顔貌，口唇，歯肉などに調和した排列をし，歯列としての対称性や均整，曲面などによって創造しなければならない（図4-73〜75）．また，歯列上における静的な位置だけでなく，微笑線（**スマイリングライン**）など動的な歯の排列状態も考慮しなければならない（図4-76）．

4）色　調

　　歯は白いというイメージがあるが，決してそうではない．1歯を観察しても，切縁部では**透明性**が強く，中央部はやや黄色味を増し，歯頸部においてはオレンジ系あるいは褐色系が強くなる．さらに歯列内においても，犬歯は切歯に比べて濃い色調であり，臼歯部では歯頸部の色が強くなる傾向がある．さらに増齢的にも色調は変化していく．したがって，歯冠修復物の製作においては隣在歯，対合歯あるいは皮膚の色な

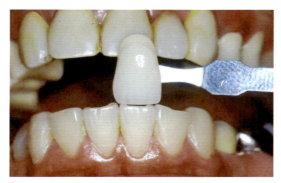

図 4-77　歯冠修復物で天然歯の色調を再現するための色合わせ（色調選択）

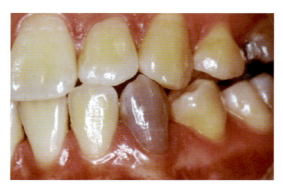

図 4-78　下顎犬歯の変色歯

どを参考に観察する必要がある（図 4-77）．最近では，精度の高い**デジタルカメラ**や客観的指標としての**測色機器**を応用することで色調再現性を高める方法もある．

5）心理的要件

　審美修復はきわめて心理的な影響を受けやすい．**歯の色調**（図 4-78），**形態**，**排列**は患者が最も注目しているところであり，治療に際しては常に「美しくしてほしい」という願望がある．また，自然にみえる歯を好むのであって，理想的な美しい**スマイル**とは赤い唇からこぼれる白い歯である．

　審美修復において患者の心理的要求を満足させるためには，治療計画や治療中において常に患者の要望を聞き入れ，積極的な**コミュニケーション**をはかることが重要である．治療内容によっては必ずしも患者の希望が満たされない場合もあることを十分説明しておき，また，審美修復に対する過度な期待をもたせないことも大切である．歯冠修復物を直接製作する立場の歯科技工士としては，患者の要求度合や歯科医師の治療方針などを十分把握しておくことが重要となる．

5 クラウンとブリッジの製作

到達目標

① クラウン・ブリッジの製作順序を説明できる.
② 印象材の種類と特徴を列挙できる.
③ 印象方法を説明できる.
④ 研究用模型の使用目的を述べる.
⑤ 研究用模型を製作できる.
⑥ 印象用トレーの種類と目的を説明できる.
⑦ 印象用トレーの製作法を説明できる.
⑧ 支台築造の意義と目的を説明できる.
⑨ 支台築造の種類と使用材料を列挙できる.
⑩ 支台築造の製作法を説明できる.
⑪ 築造体を製作できる.
⑫ プロビジョナルレストレーションの意義と目的を説明できる.
⑬ プロビジョナルレストレーションの種類と使用材料を列挙できる.
⑭ プロビジョナルレストレーションの製作法を説明できる.
⑮ プロビジョナルレストレーションを製作できる.
⑯ シェードマッチングの要件と方法を列挙できる.
⑰ 作業用模型の意義と目的を説明できる.
⑱ 作業用模型の構成と要件を列挙できる.
⑲ 作業用模型の種類を列挙できる.
⑳ 作業用模型の製作法を説明できる.
㉑ 作業用模型を製作できる.
㉒ 歯型の辺縁形態を説明できる.
㉓ 咬合器に作業用模型を装着できる.
㉔ ワックスパターン形成の種類と方法を説明できる.
㉕ 全部金属冠のワックスパターン形成ができる.
㉖ 全部金属冠の埋没・鋳造ができる.
㉗ 研磨の意義と目的を説明できる.
㉘ 研磨法を説明できる.

㉙ 全部金属冠の研磨ができる.

㉚ 前装部の形態と接着法を説明できる.

㉛ レジン前装冠を製作できる.

㉜ 陶材の築盛法を説明できる.

㉝ コンデンスの意義を述べる.

㉞ 陶材の焼成を説明できる.

㉟ 陶材焼付金属冠の製作法を説明できる.

1 臨床ステップの概要

歯科治療をよりよい医療とするためには，人工臓器である補綴装置が生体に適合し，長期にわたり機能することが求められる．それらの実現には，歯科診療所で行われている作業と歯科技工所にて行う作業を深く理解し，両者が密に連携を取らなくてはならない（図 5-1）.

2 印象採得（impression making）

クラウン・ブリッジにおける**印象採得**とは，流動性のある**弾性印象材**をさまざまな**トレー**を用いて口腔内に挿入し，印象材料の硬化に伴い陰型を採得することで，歯科診療所で行われる一連の作業である（図 5-2〜4）．印象採得によって，歯や周囲組織の形態が記録できる．歯科技工所ではこの陰型に石膏などの模型材を注入し，模型を製作する（図 5-5〜9）.

現在，主流となっているクラウン・ブリッジの製作方法は，主に**間接法**が用いられる．そのため，製作作業には口腔内の状況を正確に反映した作業用模型が必要となる．**作業用模型**は，正確なクラウン・ブリッジ製作のために最も重要な資料の一つであり，歯科技工所における唯一の情報であるため，高い精度が求められている．その精度を担保するためには，高い精度での印象採得が必須であり，最も重視する必要がある.

近年では**口腔内スキャナー**（図 5-10）の発達に伴い，アナログ作業からデジタルへと印象採得も変化している．デジタル技術を用いた印象では，その結果得られる印象データは画像データとなり，**据置型スキャナー**にて石膏模型をデジタル化していた作業から解放され，歯科技工所における感染予防やデータの運搬性，**トレーサビリティ**の向上につながる．しかしながら，現在の技術的精度では，最終的な調整はやはり模型上で行うことが求められるため，デジタルデータを利用した作業用模型の製作などが必要となり，さらなる発展が求められている.

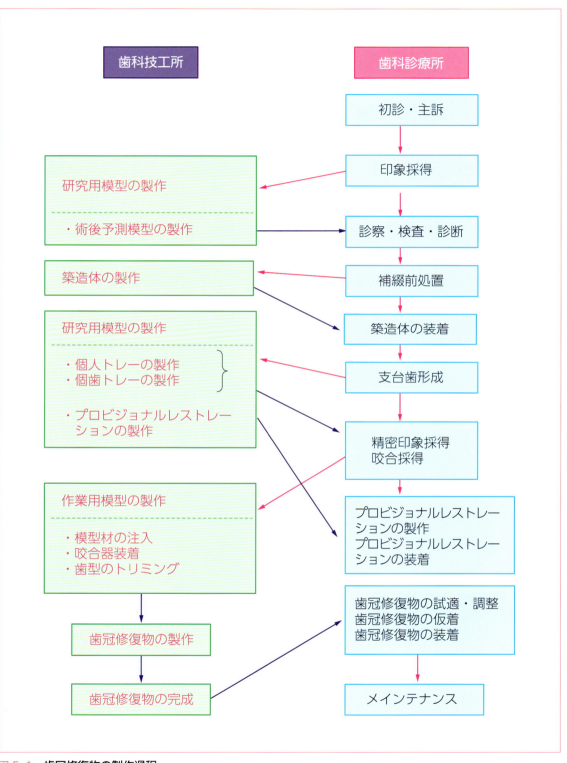

図 5-1 歯冠修復物の製作過程

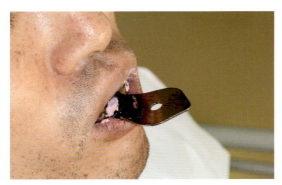

図 5-2　印象採得

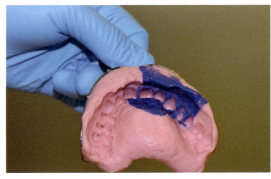

図 5-3　採得された印象

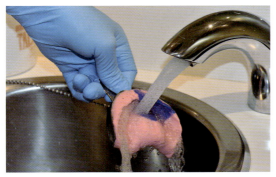

図 5-4　印象の水洗

図 5-5　模型材（石膏）の練和

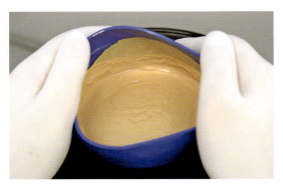

図 5-6　模型材（石膏）の脱泡
印象に注入する前に，ラバーボウルをバイブレーターに
かけ，脱泡する．

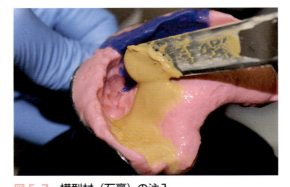

図 5-7　模型材（石膏）の注入
バイブレーターの振動を与えながら，印象の一方向から
少量ずつ注入する．

1）印象材の種類

　　表5-1 に，クラウン・ブリッジ製作に用いられる印象材の素材による分類を示す．
印象材はこのほか，表5-2 に示すような性質による分類も行われる．**可逆性**（rever-
sible），**不可逆性**（irreversible）とは，印象材が硬化体となった後，流動体に戻せるか
否かを示す．弾性，非弾性とは，硬化後に印象材が弾性を有するか否かを示している．

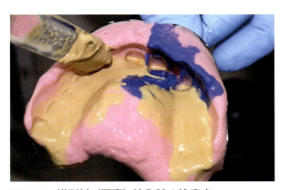

図 5-8　模型材（石膏）注入時の注意点
印象材の両方向から模型材を注入すると，模型材のぶつ
かるところで気泡が発生しやすい．

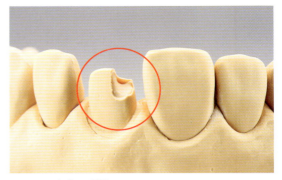

図 5-9　気泡の発生
模型材（石膏）注入時の不注意により発生した気泡．

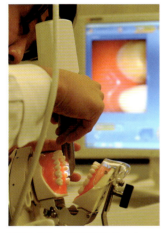

図 5-10　口腔内スキャナー

表 5-1　印象材の素材による分類

ハイドロコロイド印象材	アルジネート印象材 寒天印象材	
ゴム質印象材	シリコーンゴム印象材	縮合型 付加型
	ポリエーテルゴム印象材	

表 5-2　印象材の性質による分類

	弾性印象材	非弾性印象材
可逆性印象材	寒天印象材	モデリングコンパウンド
不可逆性印象材	アルジネート印象材 ゴム質印象材	酸化亜鉛ユージノール印象材

（『歯科理工学』参照）

（1）ハイドロコロイド印象材

　ハイドロコロイド印象材には**アルジネート印象材**と**寒天印象材**がある．アルジネー
ト印象材は化学反応にて，寒天印象材は温度の変化にて硬化することで，印象採得を
可能にする．ハイドロコロイド印象材の特徴として，多量の水分が含まれているため，
硬化体の保管状況によっては大きな変形が認められる．大気中に放置すると，水分の
蒸発や離液が印象材を収縮させる．また，水中では水分を吸収して膨潤とよばれる膨
張が起こる．この変形は短時間に容易に起こるため，印象材硬化後の保管場所の環境
や，石膏注入までの時間に十分な配慮が求められる．原則的には，印象材硬化後すぐ
に石膏を注入することが求められるが，それができない場合は，相対湿度100％の雰
囲気中にて保管する．

a．アルジネート印象材（irreversible hydrocolloid）

　アルジネート印象材による**単一印象**では，印象体に気泡などが入りやすく，作業用

模型製作のための印象としては不適切であるため，概形印象材とよばれている．主にクラウン・ブリッジ製作のための**対合歯**の印象や**研究用模型**製作に用いられる．寒天印象材と併用した連合印象を行った場合には，**精密印象**として扱うことができる（図5-3）．現在では，粉と水を練和する方法が一般的である．

b．寒天印象材（reversible hydrocolloid）

寒天印象材は常温にて**ゲル**状で保管されているものを，**シリンジ**とともに**寒天コンディショナー**とよばれる**温度調節機器**にて**ゾル**化して使用する．多くの場合，連合印象直前に，寒天コンディショナーにて保温されていたシリンジを用い，直接口腔内の支台歯に塗布後，アルジネート印象材との連合印象を行う．また，**水冷式トレー**（図5-17 参照）を用いることで，寒天のみを使用した全部寒天印象法が行える．

（2）ゴム質印象材

硬化するとゴム状となり，印象材中に水分を含まないため，保管環境にあまり影響を受けず，寸法安定性に優れる．しかしながら，石膏とのなじみはハイドロコロイド印象材に劣り，石膏注入時に気泡が埋入しやすいため，注意が必要である．

a．シリコーンゴム印象材

ゴム質印象材としては，臨床で最も多く利用されている印象材である．硬化後にやや収縮する**縮合型**と寸法安定性に優れた**付加型**があり，現在は付加型が主流となっている．多くの市販製品では，さまざまなタイプの**稠度（フロー）**が用意されており，口腔内の状態や印象法によって使い分けることができる．稠度の低いものは一般的にパテ，ヘビーボディとよばれ，概形印象や一次印象材として用いられる．稠度の高いものはライトボディ（インジェクション）とよばれ，支台歯などに直接盛りつけ，細部まで流し込むように使用される．咬合採得にも用いられる．

b．ポリエーテルゴム印象材

ゴム質印象材のなかでは比較的硬い印象材で，**咬合採得**やインプラントの印象などにも用いられる（図 5-98 参照）．

2）印象材の取り扱い

印象採得は歯科医師によって歯科診療所で行われる医療行為であるが，印象採得後の模型材の注入などは歯科技工士にゆだねられることが多い．したがって，それぞれの使用された印象材の性質をよく把握しておく必要がある．どの材料にもあてはまる注意事項は以下のとおりである．

①唾液，血液，デンタルプラークなどは十分な水洗にて印象面から除去する（『歯科技工実習』参照）．
②印象材硬化後はすみやかに模型材を注入する．
③模型材を注入するときは気泡の混入に注意する．

④模型材の注入前，注入時，硬化中には，印象材に外力を加えたり，極端な温度・湿度の変化がないようにする．

⑤模型材が完全に硬化するまで印象から撤去しない．

3 研究用模型（スタディモデル）（diagnostic cast）

　研究用模型（スタディモデル）とは，診断や治療計画の立案，補綴装置の設計に用いることを目的とした，全顎の歯列模型をいう．歯などの硬組織や，歯肉などの軟組織の形態を再現したもので，歯科技工サイドでは次に示すような目的で用いられる．

①個人トレーの製作（図 5-11）

②個歯トレーの製作（図 5-12）

③プロビジョナルレストレーションの製作（図 5-13）

④術後予測模型（セットアップモデル）の製作（図 5-14）

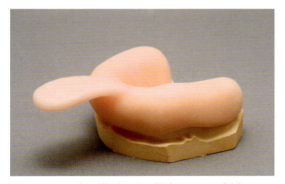

図 5-11　研究用模型による個人トレーの製作

図 5-12　研究用模型による個歯トレーの製作

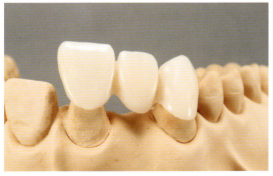

図 5-13　研究用模型によるプロビジョナルレストレーションの製作
研究用模型上で支台歯形成を行い，その後プロビジョナルレストレーションの製作を行う．

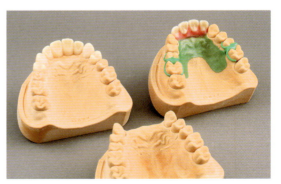

図 5-14　研究用模型による術後予測模型の製作
ワックスで最終的な修復物の形態を提示する．

4 印象用トレー

1）印象用トレーの目的

印象用トレーとは印象材を盛るための器具である．トレーの目的は主に以下のとおりである．

①印象材を口腔内に運ぶ．

②硬化した印象材を口腔外に取り出す．

③印象材の変形を抑制する．

2）印象用トレーの種類

印象用トレーは次の3種に大別できる．いずれも目的に応じて正しく使用することが求められる．

（1）既製トレー

トレーは本来，個々の歯列の大きさに合わせて製作されるべき器具であるが，既製品を利用することも可能である．さまざまな形態や大きさの**既製トレー**が存在し，症例に合わせて適切なものを選択する．多くの既製トレーは金属製で滅菌や保管がしやすく，繰り返しの使用に耐えられる強度を有する．また，衛生面からプラスチック製のディスポーザブルトレーの使用も多く認められてきている．

有歯顎用と無歯顎用のトレーがあり，以下のように分類される．

①印象材の保持方法による分類：**有孔型**（図5-15），**リムロック型**（図5-16）

②使用される印象材による分類：水冷式トレー（寒天印象用水冷式トレー，図5-17）

③トレーの被覆部位による分類：全顎型（図5-15左, 16, 17），片顎型（図5-15中央, 右），回転型（図5-18）

④材料による分類：金属製，プラスチック製

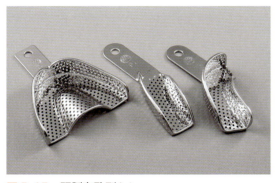

図5-15　既製有孔型トレー

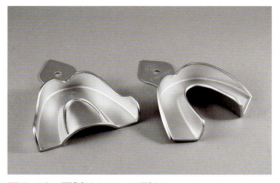

図5-16　既製リムロック型トレー

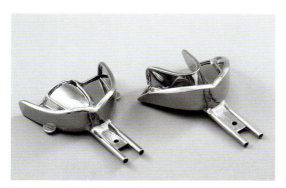

図5-17　寒天印象用水冷式トレー

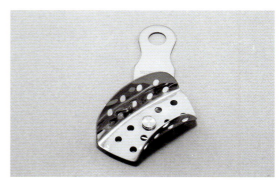

図5-18　既製回転型トレー

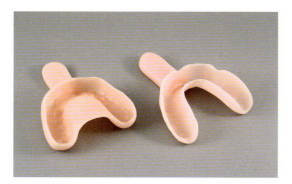

図5-19　個人トレー

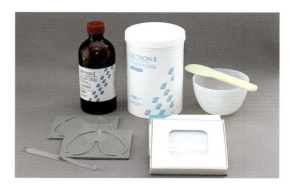

図5-20　個人トレー用常温重合レジン

（2）個人トレー（図5-19）

　個々の歯列形態に合うように研究用模型から製作される自家製の印象用トレーで，支台歯や歯列との間隙を一定にすることで，印象精度を向上させることができる．また，歯列形態とトレーとが適合しているため，トレーの安定性が高く，精密な印象採得が可能となる．クラウン・ブリッジの印象では主にゴム質印象材を使用する場合に用いられる．常温重合レジン（図5-20）で製作されることが多いが，合成樹脂板を加熱・加工して製作されることもある．

（3）個歯トレー（図5-21）

　支台歯または窩洞を1歯単位で印象するためのトレーで，基本的には個人トレーと併用して使用する．支台歯周囲の印象材の厚みを一定にしたり，歯肉縁下に深いフィニッシュラインへと印象材を確実に運ぶために用いられる．個歯トレーにて支台歯の印象採得を行い，同時に歯列の印象を個人トレーや場合によっては既製トレーにて採得する．

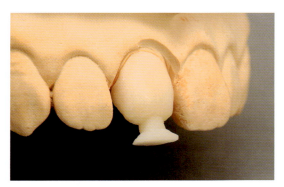

図 5-21　常温重合レジン製の個歯トレー

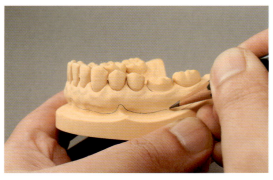

図 5-22　外形線の設定
歯肉唇頬移行部より数 mm 歯列側にトレーの外形線を設定する．上唇小帯，下唇小帯，頬小帯，舌小帯は避けて記入する．上顎の後縁は口蓋小窩より前方に設定し，下顎の舌側は歯肉粘膜移行部よりやや短く設定する．

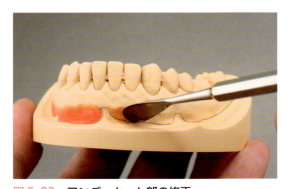

図 5-23　アンダーカット部の修正
歯肉唇頬移行部のアンダーカット部はトレーの着脱の妨げになるため，パラフィンワックスなどで埋めておく必要がある．

図 5-24　スペーサー・ストッパーの設置
印象材の厚みを均一にするために，パラフィンワックスを 1 枚歯列に圧接する．パラフィンワックスは歯列全体と，歯頸部から歯槽粘膜に向かって 3〜5 mm まで覆うようにする．トレーが正しい位置にくるように個人トレー内面にストッパーを設置するための小孔を，支台歯以外の箇所に開ける．

3）個人トレーの製作方法

　　　　常温重合レジンを用いた個人トレーの製作法を以下に示す．

①トレーの外形線を設定する（図 5-22）．

②アンダーカット部分のブロックアウトを行う（図 5-23）．

③印象材のためのスペーサーと歯列の非機能咬頭 3 カ所にストッパーを付与する（図 5-24）．

④常温重合レジンを練和し厚みと大きさを整える（図 5-25，26）．

⑤研究用模型へ常温重合レジンを圧接する（図 5-27）．

⑥トレーの形態修正と研磨（図 5-28）．

⑦トレーに把持部を付与する（図 5-29）．

⑧必要に応じて保持孔を付与する（図 5-30）．

図 5-25　常温重合レジンの練和
研究用模型に分離剤を塗布しておく．ポリエチレン製ボウルとスパチュラを用いて，レジンが餅状になるまで練和する．

図 5-26　常温重合レジンの成形
既製のトレーフォーマーを用い，均一の厚み 2 mm に仕上げる．または手指により平らに延ばす．

図 5-27　常温重合レジンの圧接
ストッパーの部分に常温重合レジンを圧入後，常温重合レジンの厚みが不均一にならないように注意しながら圧接を行う．辺縁部は外形線に沿って切り，成形する．重合の反応熱が冷めたら，研究用模型からトレーを外し，スペーサーを研究用模型から取り除く．

図 5-28　トレーの形態修正と研磨
余剰部分はバー，ポイントを用いて調整を行う．トレーの辺縁部は口腔内の粘膜などに損傷を与えないように丸みをもたせ，研磨して完成させる．

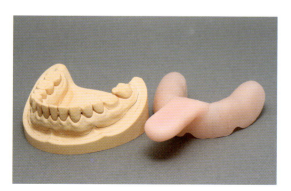

図 5-29　トレー把持部の付与
トレーの把持部は，口唇の位置に注意して設置する．

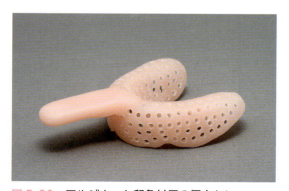

図 5-30　アルジネート印象材用の個人トレー
製作するときは，印象材保持用の小孔を開ける．

5 支台築造

1) 目的と意義

　歯冠部歯質の欠損が大きく，そのままでは補綴装置の維持力が得られない場合や理想的な支台歯形態が得られない場合，欠損部を成形充塡材料や金属などで補い，支台歯形態を完成させる．このように，さまざまな材料にて理想的な支台歯形態を付与する方法を**支台築造**といい，それに使用する装置を**築造体**あるいは**ポストコア**とよぶ．また，鋳造にて製作された築造体をメタルコア，コンポジットレジンによって製作された築造体をレジンコアとよび，特にレジンコアをガラス繊維（ファイバーポスト）にて補強した場合はファイバー補強レジンコアとよばれる．

　築造体の多くは，維持を根管に求め，最適な支台歯形態を再現することで，最終歯冠修復装置の維持をはかるものである．通常，築造体は2つのコンポーネントによって構成されており，補綴装置の維持を目的とした歯冠部のコア部と，そのコア部の維持を司るポスト部からなる．築造体は歯科技工サイドで支台歯形態の決定を行うことも可能であるので，築造体を製作するためには，理想的な支台歯形態に関する知識を修得する必要がある．

2) 種類と使用材料

　分類の仕方により，以下のように分類される．
　①部位による分類：前歯部支台築造と臼歯部支台築造に分けられる．
　②材料による分類：鋳造法による金属と光・熱・化学重合による成形充塡に分けられる．
　③製作法による分類：口腔内にて行われる直接法と作業用模型上で行われる間接法に分けられる．

（1）前歯部支台築造

　前歯部の支台築造では単根が築造の対象となるため，残存歯質の質や量に合わせて適切な材料を選択しないと，歯根破折の可能性が高くなる（図5-31〜33）．

a. 前歯部支台築造の利点

　継続歯と比較すると，支台築造とそれを被覆する補綴装置の組み合わせには次のような利点がある．
　①補綴装置の破折などに対して再製作が容易である．
　②再製作にあたり，ポスト部を撤去する必要がない場合には，歯根部残存歯質の保存ができる．
　③ブリッジの場合，平行性の獲得が容易である．

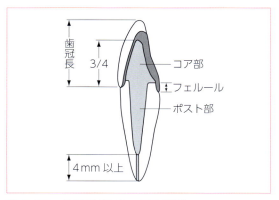

図 5-31　前歯部ポストコアの概形
上部構造のフィニッシュラインからポスト部までの歯質
残存部をフェルールとよぶ. この高さが 2 mm 以上確保
されれば帯環効果が得られ歯根破折の予防につながる.

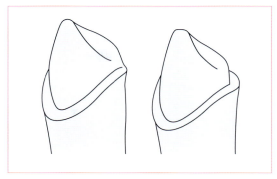

図 5-32　前歯部支台歯形態
左：前装金属冠, 右：ジャケットクラウン

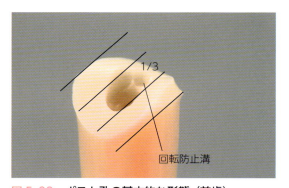

図 5-33　ポスト孔の基本的な形態（前歯）

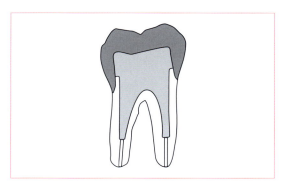

図 5-34　臼歯部ポストコアの概形

b. 前歯部支台築造に使用される材料

　前歯部では咬合による力の方向が歯軸方向とは異なるため, 荷重時に歯が片持ち梁
の状態で曲げられるように挙動する. そのため, 前歯部補綴装置の維持力は歯冠部の
コア部と根管内のポスト部, そしてその境界部とすべてに求められるため, 使用する
材料はその力に耐えられる剛性と強度が必要となる. ただし, あまり硬すぎると脆弱
な歯根部歯質に有害な力を生じさせ, 歯根破折の原因ともなりうる. 現在, 前歯部支
台築造に使用される材料としては, 金銀パラジウム合金や金合金などの金属材料や,
象牙質の硬さに近い材料特性をもつコンポジットレジンとファイバーポストを併用し
たものが代表的である.

（2）臼歯部支台築造

　臼歯部は, 前歯部と比較して大きな咬合力が加わる部位である. したがって, 歯髄
を失って歯質が薄くなっている大きな欠損状態にインレーを装着した場合, これがく

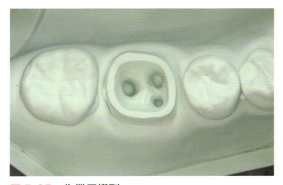

図 5-35　作業用模型
根管の方向に平行性がなく，分割ポスト・コアの設計でなければ対応できない.

図 5-36　分割コア本体
近心側ポスト部を支台本体とし，遠心ポスト部を分割ポストとして製作する.

図 5-37　支台本体と遠心ポスト
鋳造後，作業用模型上で適合の確認を行う．スプルー線は，口腔内試適の際の把持部を残して長めに切断する.

図 5-38　分割メタルコア
作業用模型から外して組み立てた状態の下顎大臼歯メタルコア（図 5-37，38 では，分割状態が明確にわかるように，異種合金を使用している）.

さびとなって歯冠を破折させることがある．そのため，歯質の大きな欠損に対して支台築造を行い，咬合面を被覆する補綴装置を装着することは，歯の保存という観点からも重要である.

　臼歯部に加わる力は前歯部より大きくなるが，多くの力は歯軸方向と同じ方向であるため，臼歯部築造体では前歯部ほどの強度は求められない．また，残存歯質の量も多いため，臼歯部では金属材料が多く使用される（図 5-34）．主な維持力はポスト部に影響されるものの，前歯部と比較して広い髄床底を有するため，接着面積も広く確保することができる．そのため，十分な接着面積とフェルールが確保できる場合には，ポスト部の太さ・長さを最小限にとどめることで，歯根破折を予防する．ポスト部による大きな維持力が求められる大臼歯では，主に主根管（上顎では舌側根，下顎では遠心根）に維持を求める．根管の方向が異なる場合では，分割法によるメタルコアを製作することもある（図 5-35～38）．もちろん，残存歯質に乏しい場合は，歯根破折を予防する観点からも，前歯部と同様にファイバー補強レジンコアも使用される.

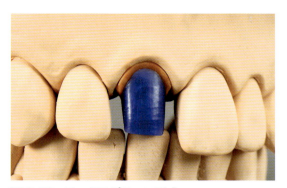

図 5-39　ワックスパターン形成
歯冠修復物に必要な厚みを確認する．

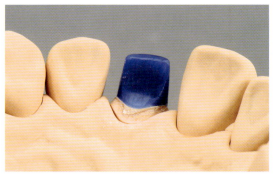

図 5-40　ワックスパターン形成
舌側は対合関係に注意しながらクリアランスを確認する．

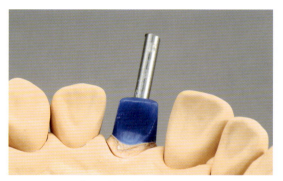

図 5-41　スプルー線の植立

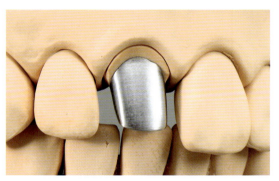

図 5-42　研磨
埋没・鋳造後，ペーパーコーンなどで研削を行う．

3）製作法

（1）メタルコアの製作法

　間接法によるメタルコアの製作法について，前歯部の製作法を図 5-39〜43 に，臼歯部の製作法を図 5-44〜47 に示す．

（2）ファイバー補強レジンコアの製作方法

　間接法にて製作されるファイバー補強レジンコアは成形充塡材料を用いた築造体の1つとして，既製のファイバーポストと築盛用コンポジットレジンとを用いて製作する．ファイバー補強レジンコアの製作法を図 5-48〜54 に示す．ファイバー補強レジンコアに使用される材料は金属と比較すると，その物性は低く，単体での強度は劣る．そのような材料であるファイバー補強レジンコアの使用には，歯質と接着・一体化させることで最終的な強度が担保される「接着補強」を最大限に生かす必要がある．ファイバー補強レジンコアの成功は，歯質との接着なくしてはありえない．

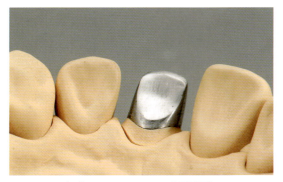

図 5-43　完成したメタルコア（舌側面）
メタルコアを製作するうえできわめて重要な事項として，支台歯形成終了後のフィニッシュラインは常に歯質でなければならない．

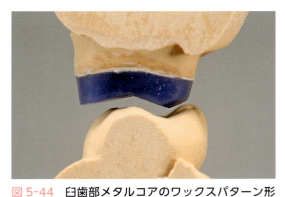

図 5-44　臼歯部メタルコアのワックスパターン形成
対合歯とのクリアランスを確認しながらワックスパターン形成を行う．軸壁のテーパーにも注意をはらう．

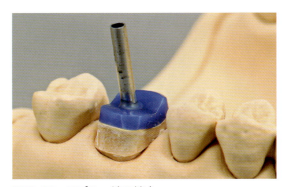

図 5-45　スプルー線の植立

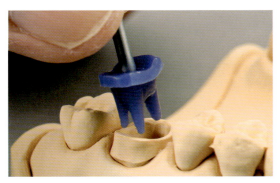

図 5-46　ワックスパターンの撤去
ポスト部の形態が再現できていることを確認して埋没・鋳造を行う．

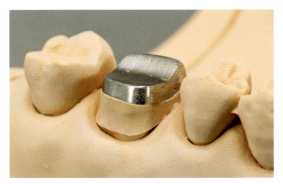

図 5-47　完成したメタルコア

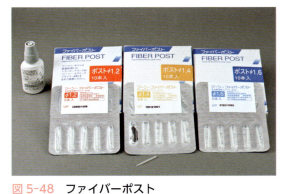

図 5-48　ファイバーポスト
接着阻害とならないように，直接手指で触れずピンセットを用いて操作を行う．

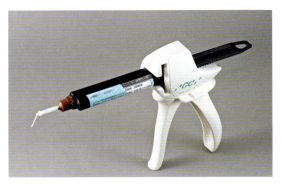

図 5-49　築盛用コンポジットレジン
カートリッジディスペンサーのトリガーを使用して，少量のベース材とキャタリストを出して使用する．

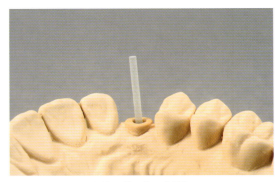

図 5-50　ファイバーポストの試適
ポスト部の太さによってファイバーポストを選択する．サイズと形状は，数種類ある．

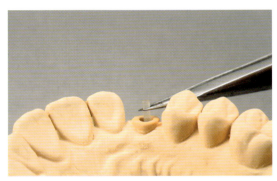

図 5-51　ファイバーポストの長さの調整
ダイヤモンドディスク，ダイヤモンドポイントなどを用いて切断する．

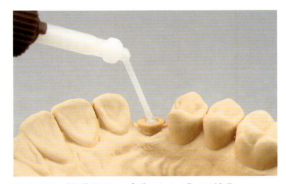

図 5-52　築盛用コンポジットレジンの注入
分離剤の塗布後，気泡を巻き込まないように流し込む．その後，ファイバーポストを挿入する．

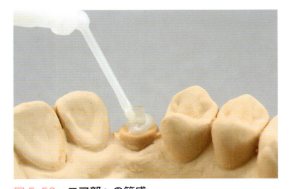

図 5-53　コア部への築盛
ファイバーポストはシランカップリング剤を用いて表面処理を行う．ファイバーポストを覆うように築盛後，光照射と化学重合反応にて重合，硬化させる．

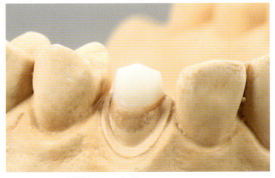

図 5-54　形態修正・完成
硬化後，タングステンカーバイドバーやカーボランダムポイントで形態修正を行う．

6 プロビジョナルレストレーション（暫間補綴装置）

1）意義と目的

　支台歯形成が終了して最終的な補綴装置が装着されるまでの間，一時的にではあるが機能と審美性が損なわれる．この期間に対して用いる補綴装置をプロビジョナルレストレーションという．プロビジョナルレストレーションの目的として，以下の事項が挙げられる．

①外来刺激の遮断：生活歯の場合には，温度や化学的刺激の遮断，咀嚼やブラッシング時の物理的刺激による不快症状を防止する．

②歯質の保護：咀嚼や外力から歯質の破折を防止する．

③支台歯の移動防止：隣接面接触や咬合接触が支台歯形成によって一時的に消失するため，歯の移動などによって対合関係や隣在歯との位置関係が変化する可能性があるため，術前と変化が生じないように，それらの接触関係を維持する．

④口腔機能の維持：摂食，咀嚼，発音，発声，嚥下などの機能を維持する．

⑤審美性の維持：社会的な背景から治療期間中も口腔内の審美性が保たれる必要がある．また，審美性の最終チェックや歯周組織の形態の安定を目的として製作されたプロビジョナルレストレーションは，それに付与された形態を最終補綴装置に反映することで，高い審美性と形態安定性が再現される．

⑥歯周組織の保護：失われた歯冠部豊隆が引き起こす，食物などの物理的刺激によって歯周組織に痛みや炎症が誘発されることを防止する．

⑦支台歯の汚染防止：デンタルプラークや飲食物による汚染を防止し，接着を阻害する因子を除去する．

⑧歯肉増殖の防止：歯肉縁下にフィニッシュラインを設定した場合，周囲歯肉が増殖してフィニッシュラインを不明瞭にすることを防止する．

2）種類と使用材料

　既製品を用いる場合と個々に製作する場合がある．既製品では既製人工歯，アルミキャップ，既製樹脂冠などがあり（図5-55〜57），個々に製作する場合では常温（即時）重合レジンやコンポジットレジンなどが主に使用される．全顎補綴治療などの際に長期間プロビジョナルレストレーションを使用する際には，咬合高径の低下を防止するために，金属などが使用されることもある．

3）要　件

　プロビジョナルレストレーションは次のような要件を満たしている必要がある．
①咬合力に耐えられるだけの強度をもっている．
②電気的，化学的に安定している．

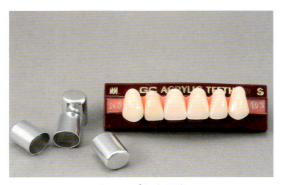

図 5-55　アルミキャップと人工歯

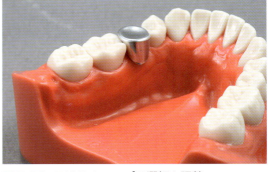

図 5-56　アルミキャップの選択と調整

図 5-57　既製樹脂冠

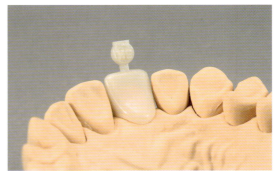

図 5-58　既製樹脂冠の選択と削合
支台歯形成をした研究用模型上で既製樹脂冠の大きさ，形態を選択し，カーボランダムポイントなどで辺縁の修正を行う．

③歯髄，歯周組織に為害作用がない．
④製作，修理，修正が容易である．
⑤色調再現性と安定性に優れる．
⑥安価である．

4）製作法

　ここでは常温重合レジンを用いたプロビジョナルレストレーションの製作法を中心に述べる．

（1）既製樹脂冠を用いた製作法

　既製樹脂冠としては，**ポリカーボネート**製のものが多く使われている．この方法は，既製樹脂冠の内部に常温重合レジンを満たし，支台歯（間接法の場合は歯型）に圧接して製作する．研究用模型上で事前に製作できるが，口腔内で直接つくられることも多い（図 5-58〜60）．

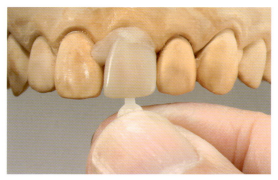

図 5-59　歯型への圧接
歯型に分離剤を塗布後，削合した既製樹脂冠の内面に常温重合レジンを盛って歯型に圧接を行う．

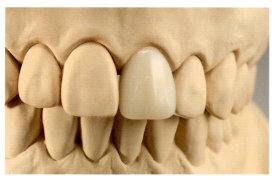

図 5-60　研磨・完成
余剰なレジンを削除し辺縁を適合させる．咬合調整を行い，研磨・完成させる．

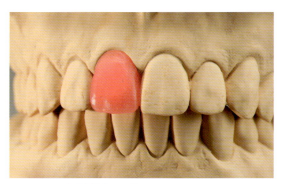

図 5-61　歯冠形態の回復
支台歯形成された研究用模型上でワックスパターン形成を行い歯冠形態を整える．

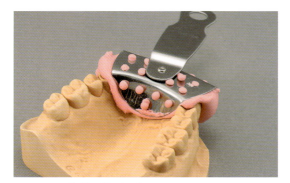

図 5-62　作業用模型の印象
歯冠形態を回復した研究用模型の印象採得を行う．ワックスパターン形成した歯冠を除去し，研究用模型に分離剤を塗布する．

（2）常温重合レジンのみを用いる製作法

　多数歯や患者個々に合わせた形態が付与されたプロビジョナルレストレーションを製作する場合に用いられる方法である．練和された常温重合レジンを一塊にして支台歯（間接法の場合は歯型）に圧接し，硬化後トリミングにて成形する方法や，直接筆積み法で製作する場合もある．しかし，口腔内での作業（直接法）では常温重合レジンの刺激や重合熱，重合収縮，マージン部適合調整の困難さなど問題点が多く，間接法の有用性が高い（図 5-61〜68）．

（3）既製人工歯と常温重合レジンを用いる製作法

　まず，補綴対象となる歯の大きさや色，形と近似した人工歯を選択し，歯型の形に合わせて舌側を削合する（図 5-69, 70）．その後，削合した舌側部分に常温重合レジンを塗布し，歯型に適合させ，レジン重合後，成形・研磨を行って完成となる．

図 5-63　常温重合レジンの築盛
印象に筆積み法を用いて歯冠色の常温重合レジンを満た
す．また，常温重合レジンを混和し流し込むことで満たす．

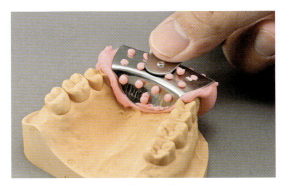

図 5-64　常温重合レジンの圧接
築盛した常温重合レジンを研究用模型に戻し，圧接を行
い硬化を待つ．

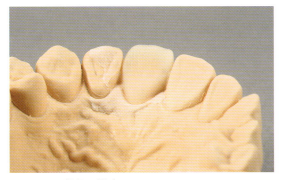

図 5-65　印象の撤去
硬化した常温重合レジンは研究用模型から取り出し，周
囲のバリを除去して研磨する．

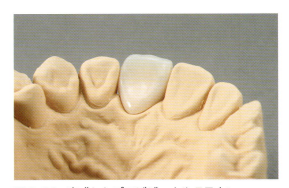

図 5-66　完成したプロビジョナルクラウン

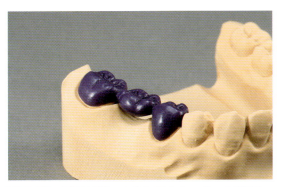

図 5-67　プロビジョナルレストレーションのワックスパターン形成
ブリッジの場合も同様にワックスパターン形成を行う．

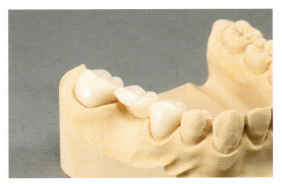

図 5-68　同様の方法で完成したプロビジョナルレストレーション

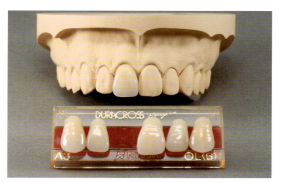

図 5-69　レジン歯を用いたプロビジョナルクラウンの製作

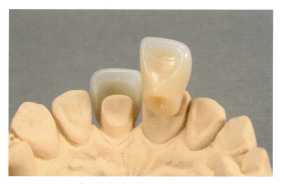

図 5-70　レジン歯削合前後の舌側面

7　色調選択（シェードマッチング，シェードテイキング）

1）色調選択（tooth color selection）の要件と方法

　歯冠色材料を用いた補綴装置の製作にあたっては，形態と同様に患者固有の色調の再現が審美的に重要となる．歯科技工所においての最大の情報源は作業用模型で，歯の形態情報の伝達においては非常に有効である．しかしながら，色調に関する情報伝達方法は限られており，正確に伝えることは非常に困難である．また，審美とは個人の価値観に大きく左右されるため，隣在歯と適応した自然観が再現できていたとしても，患者の満足が得られるとは限らない．したがって，患者の希望とともに，現在の歯の色調の情報を適切に記録し保存・伝達することが重要となる．そのためには，色に対する基本的な知識や測定方法，評価方法について知る必要がある．**色調選択**には**シェードガイド**（図 5-71）とよばれる歯の代表的な色を分類した指標を歯と比較する**視感比色法**（図 5-72）が主流となっている．しかしながら，視感比色法ではばらつきも多く生じるため，器械による測定方法も存在する（図 5-73，74）．この方法では，術者や環境が異なっても色を客観的に測定することが可能である．さらに，歯科技工士の色調選択時の**立合い**は非常に有効な手段である．

2）色調選択時の注意点

　シェードガイドによる**対比法**にて歯の色を選択する場合，照明などの環境条件に大きな影響を受ける．色調選択を行う場所が歯科診療所であれば，歯科技工所においても色調選択を行った歯科診療所と同じ照明環境にてシェードガイドが確認できることが望ましい．

　天然歯の色調としては，エナメル質は透明性が高い部位と不透明な白色部位から構成される．そして，歯の色調は天然歯において，基本的に象牙質に大きく影響される．また，その色は歯質表面の状態や歯肉などの口腔内環境などの影響によっても変化す

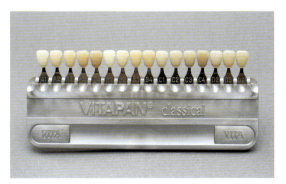

図 5-71　シェードガイド
色調の判断を行うための色見本で，色相の濃淡などの違いがある．

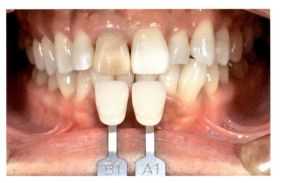

図 5-72　色調選択（シェードマッチング）
シェードガイドを用いて個々の歯の色調判断を行う．

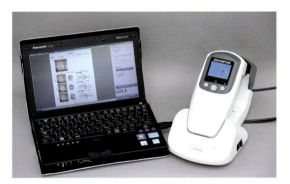

図 5-73　色彩計
光源の光を天然歯に当て，その反射光を測定することで測色する．

図 5-74　色調計測
撮影時に外光を遮断することで，色調選択（シェードマッチング）の環境が違っても天然歯の色調を正確に測色できる．

図 5-75　支台歯用のシェードガイド

　る．歯は乾燥によってオペーキーな白い色に変化していく．そのため，色調選択は短時間で行い，作業中は歯とシェードガイドを濡らしておく必要がある．さらに，支台歯の色も重要な情報であるため，欠かせない情報である．支台歯の色調選択には専用のシェードガイド（図 5-75）を用いる．

3）色調選択の手順

①歯と歯周組織の清掃. 口紅などがついていると，正確な色を把握しづらいので拭き取る.

②光源の環境の整備. 一般的には，日の出3時間後から日没3時間前までの北空昼光で，周囲環境色の影響の少ない光，もしくは**高演色性**の**蛍光ランプ**が推奨されている.

③**明度**，**色相**を推定し，シェードガイドから色を選択する.

④歯とシェードガイドを濡らす. また，歯肉色によってシェードガイドの見え方が変化するため，歯肉色に近いガミーを使用する.

⑤歯面を9分割し，それぞれの比較する部位の近くにシェードガイドをもっていき，歯面とシェードガイドの距離を同等にして，正面より観察する.

⑥年齢，着色，性差，透明層の分布などを，反対側同名歯，隣在歯を参考にして記録する.

⑦5秒間以上，歯やシェードガイドを見続けてはならない. 観察時間の合間に青いカードを見ることにより，**色順応**が起こらないようにする.

⑧複合的な光源を用いる. 天然光，蛍光ランプ，白熱灯，フラッシュなど. 患者にとって最も重要な環境にマッチした光源を選択する.

⑨シェードガイドに適当な色がない場合は，近い色を選択する. その場合，明度は高めで，彩度はより低いものを選ぶ. 可能であればカスタムシェードガイドを用いる.

⑩**SPA要素**を考慮し，個々の歯に対し個性を与える. 具体的にはエナメルクラックや白帯，ホワイトスポット，咬耗状態などの特徴を合わせて採得する.

⑪得られたすべての情報を記録する. このとき，用いたシェードガイドの種類も記載する. **デジタルカメラ**にてシェードガイドと対象歯との写真を記録する. デジタルカメラは**環境光**によって大きく色を変化させる. そのため，撮影時は**カラーチェッカー**などを写しこむことで，一定の再現性が得られる.

8 作業用模型

1）意義と目的

　複雑な形態をもち，さまざまな要件を満たした補綴装置を，口腔内で直接製作することは不可能である. そのため，補綴装置の製作は口腔外での間接法にて製作されることが一般的である. そのためには口腔内の形状情報を口腔外に再現することが必要となる. その要件を満たす形状情報として，精密印象から得られる模型を作業用模型という. **作業用模型**は**歯型**，**歯列模型**，欠損部，軟組織やその他の口腔内の形態が正確に再現されている必要がある.

補綴装置製作過程において，物理的なワックスアップなどが必要な場合は，作業用模型上にて技工作業を行う．CAD/CAM などのデジタル機器を使用する場合には，作業用模型をスキャンすることで，デジタルデータに変換し，そのデータをもとに仮想空間上にてプログラムの操作を行う．また，**口腔内スキャナー**などの使用により，物理的な印象採得・作業用模型の製作を省いた，直接的な口腔内のデジタルデータ化も可能である．さらに，**ラピッドプロトタイプモデリング技術**を使用した作業用模型の即時製作も行われている．

2）作業用模型の構成

作業用模型は以下のものから構成されている．

①**歯型**（支台歯形態を再現した模型）と歯型を含む**歯列模型**

②**対合歯列模型**

③**咬合器**

3）作業用模型の要件

作業用模型は，以下のような要件を満たす必要がある．

①歯型が正確であること．

②歯列模型と対合歯列模型が正確であること．

③歯型と歯列模型との位置関係および歯型どうしの位置関係が正確であること．

④咬合関係が正確に再現されていること．

⑤製作と作業が簡便であること．

4）作業用模型の特徴

作業用模型を用いた技工操作には以下の利点・欠点がある．

（利点）

①チェアタイムの削減．

②患者への侵襲の低減．

③技工操作を自由に行うことができる．

④技工操作を反復して行うことができる．

⑤あらゆる角度からの観察・確認ができる．

（欠点）

①作業用模型の変形などによる精度の低下がある．

②作業用模型の製作に労力と経費がかかる．

③作業用模型の保存に物理的空間が必要となる．

5）作業用模型の種類

現在，一般的に用いられている作業用模型の種類を以下に示す．

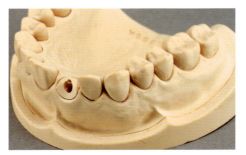

図 5-76　歯型固着式（単一式）模型

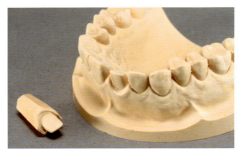

図 5-77　副歯型式模型

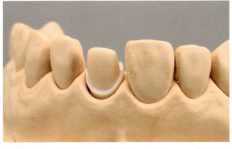

図 5-78　歯型可撤式模型（印象内に歯型を戻したのち石膏を注入する方法）

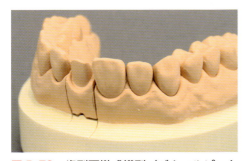

図 5-79　歯型可撤式模型（ダウエルピンを使用した方法）

（1）歯型固着式模型（単一式模型）

歯型と歯列模型が一体になっている作業用模型をいう（図 5-76）．

歯型と歯列模型の位置関係は正確だが，隣接面部の作業が困難となるため，隣接面接触の再現が必要のない補綴装置の製作に用いられる．

（2）副歯型式模型

歯型のみの模型と歯型固着式模型の両者を用いる作業用模型をさす（図 5-77）．補綴装置の内面と辺縁部の製作は歯型のみの作業用模型で製作し，その後，歯型固着式模型に戻して，歯型相互間および歯列模型，対合歯列模型との接触関係を再現する．両作業用模型の利点を利用することで，正確な補綴装置の製作が可能となり，すべてのクラウン・ブリッジにおけるワックスパターン形成に使用できる．しかしながら，歯型と歯型固着式模型の歯型の間に高い精度での形態の一致が求められ，製作上の困難さがある．

（3）歯型可撤式模型

歯型が歯列模型から着脱可能なように製作された作業用模型をさす．歯型のみを先に製作し，印象内に歯型を戻したのち石膏を注入することで作業用模型を製作する方法（図 5-78）や石膏注入後に歯型のみを両隣接面部で分割して，**ダウエルピン**を利用して歯型が着脱できるようにする方法（図 5-79, 80），**ダイロックトレー**や**チャネルトレー**などの特殊なトレーを使用する方法（図 5-81, 82）などがある．

分割復位式模型とは？

分割復位式模型（図 5-79 参照）は，歯型と歯列模型を分離することが可能な歯型可撤式の作業用模型の１つである．用語の変更に伴い，現在では正式名称となっていないが，副歯型式模型に比較して歯型と歯列模型の位置関係がくるいやすいという欠点があるものの，一度の印象採得で製作できることや，製作が簡便であることなどから，歯冠修復物の製作に

あたっては現在でも広く用いられている．製作方法としては，模型材の注入後に歯型部のみを両隣接面部で分割して，歯型が着脱できるようにしたものである．分割された歯型はもとの位置に戻る工夫がされており，その位置を正確にするためにダウエルピンを用いる方法，石膏コア法，ダイロックトレー法などが考案されている．

図 5-80　**各種ダウエルピンとロックワッシャー**

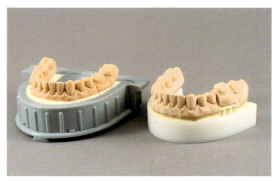

図 5-81，82　**ダイロックトレーとチャネルトレー**

6）作業用模型の製作（歯型可撤式模型，ダウエルピンを使用した方法）

歯型可撤式模型はその文字どおり，歯型と歯列模型とを分離することができる作業用模型である．可撤式の歯型はもとの位置に戻るようになっており，その位置を正確に再現できるように工夫されている．

図 5-83　模型材（石膏）の注入
気泡の混入に注意しながら，石膏を一方向から少量ずつ
注入する．

図 5-84　模型基底面の削除
歯列模型の基底部をトリマーで平らにする．

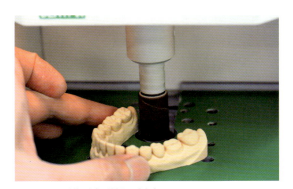

図 5-85　模型余剰部の削除
上顎の口蓋部や下顎の舌側部はセンタートリマーなどで
取り除く．

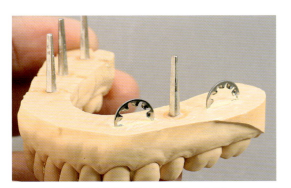

**図 5-86　回転防止溝の形成とダウエルピン，ロック
ワッシャーの設置**
着脱部の底面中央にダウエルピンの入る孔を掘り込み，U
字形の回転防止溝を形成する．ダウエルピンは瞬間接着
剤で歯列模型に接着させる．着脱しない部分にはロック
ワッシャーを固定する．

（1）製作に必要な器具

①ダウエルピンとロックワッシャー：歯型を歯列模型から着脱できるように，歯型
の底部に取りつける小さな釘状の金属棒を**ダウエルピン**という．通常は，歯型の
回転を防止するために一部の面が平面に加工されている．また金属棒が2本のも
のや，**スリーブ**のついたものもあり，精度の向上がはかられている（図 5-80）．
歯列模型に台付けするとき，歯列模型と台付け石膏が分離しないように固定する
ための金属製の小片をロックワッシャーとよんでいる（図 5-80）．

②石膏鋸：歯列模型から歯型を分割するときに用いる鋸をいう．刃はなるべく薄く，
ゆがまないことが求められる．

（2）製作手順

ダウエルピンを使用した歯型可撤式模型の製作手順を図 5-83～91 に示す．

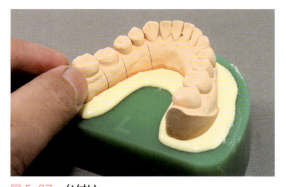

図 5-87　台付け
歯列基底面に分離剤を薄く塗布し，既製の型枠などを用
いて台付けを行う．

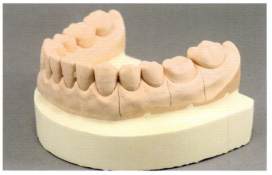

図 5-88　台付け移行部の修正を終えた作業用模型
既製の型枠から外した後，台付け移行部の石膏を削って
明確にする．

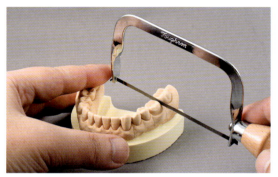

図 5-89　歯型の分割
歯型の両側を石膏鋸を使用して台付け移行部まで切る．
このとき歯型のフィニッシュラインを傷つけることのな
いようにする．分割後，歯型が抜き差しできることを確
認する．

図 5-90　歯型の修正（トリミング）
バー，カッターなどで，歯型のフィニッシュラインを傷
つけないように歯肉部の石膏を削除していく．

（3）歯型のトリミング

　　歯型は支台歯周囲の歯肉部が石膏にて再現されている．このままではワックスパタ
ーン形成が困難なだけでなく，歯型の辺縁形態や位置が不明となって，マージンの正
確性に劣る．したがって，歯肉部石膏を除去し，フィニッシュラインが明確になるよ
う歯型を修正する必要がある．

　　歯型の**トリミング**には，バーやカッターなどを用いて，慎重に行う．歯型，特にフ
ィニッシュラインを傷つけないように，注意深く歯肉部の石膏を削除していく（図
5-90）．トリミング後の歯型の形態は，フィニッシュラインが明瞭になっていること，
フィニッシュライン以下の歯肉溝の形態が再現できていることが求められる．フィ
ニッシュラインが明確になったら，軟性の色鉛筆などで境界をマークしておき，さらに
その上に界面硬化剤などを吹きつけておくと，ワックスパターン形成の間にマークが
消えたり，フィニッシュラインを破損する危険を少なくできる（図 5-91）．

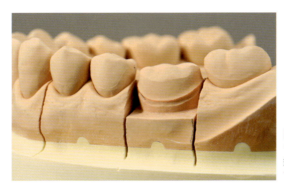

図 5-91　トリミングの完了した模型
フィニッシュラインが明確になったら，軟らかい鉛筆でマークし，その上から界面硬化剤などを塗布しておく．

表 5-3　辺縁形態の種類

形態の名称		形態	特徴
ショルダーレスタイプ	フェザーエッジ		・フェザーエッジ，ナイフエッジの違いは製作する歯冠修復物の辺縁の厚みによる． ・印象しても辺縁の形態がはっきりしないことが多いので，封鎖や適合の点で劣る． ・メタルマージンに使用される．
	ナイフエッジ		・現在では切削器具の発達に伴い，フェザーエッジの使用は奨励されない．
ショルダータイプ	シャンファー		・ほとんどすべての歯冠修復物の辺縁形態に用いることができる． ・適合性はよい． ・ライトシャンファーとヘビーシャンファーがある． ・厚みを変化させることですべての材料でマージンを製作できる．
	ベベル		・前装部の辺縁形態として用いられる． ・頻度は高くないが，適合性は最もよいといわれる． ・メタルマージンに使用できる．
	ショルダーまたはラウンドショルダー		・前装部の辺縁形態として用いられる． ・部分被覆冠やインレーにも用いられることがある． ・ジャケットクラウンの辺縁としても用いられる． ・すべての材料でマージンを製作できる． ・軸面とショルダー部との移行部に丸みをもたせたものをラウンドショルダーとよぶ．
	ベベルドショルダー（ショルダーウィズベベル）		・前装部の辺縁形態として用いられる． ・ジャケットクラウンの辺縁には用いられない． ・メタルマージンに使用できる．

7) 歯型の辺縁形態

支台歯形成面と非形成面との境界部の形態は辺縁形態とよばれている．その形態は補綴装置を構成する材料に合わせてさまざまな形態が存在し，適切な選択が求められる．辺縁形態は適合性に大きく影響し，その移行部にギャップが存在した場合，清掃性・自浄性に劣るため，齲蝕が生じたり（二次齲蝕），辺縁性の歯周疾患に罹患することとなる．表 5-3 に辺縁形態の種類と適応を示す．

9 咬合器への装着

間接法によって作業用模型上にて補綴装置を製作するためには，上下顎の模型が生体と同じ位置関係で咬合器に装着されている必要がある．上顎歯列に対する下顎歯列の三次元的な位置関係を記録することを**咬合採得**という．使用する材料としては，バイトワックスやパラフィンワックス，シリコーンゴム印象材やポリエーテルゴム印象材などがある．

咬合器は，作業用模型の構成要素の１つであり，補綴装置の咬合面の形態付与などに重要な役割を果たす．歯列模型が歯の形態や位置関係を正確に再現するのに対して，咬合器は上下顎の位置関係や下顎の運動経路を再現するものである．どのような咬合器でも，上顎の模型が装着される**上弓**と，下顎の模型が装着される**下弓**によって構成され，それらが本体によって連結されている．

咬合器は大別すると，下顎運動の調節機構を有する調節性咬合器と，調節機構のない非調節性咬合器に分けられる（咬合器と下顎運動の詳細については『顎口腔機能学』参照）．ここでは，平均値咬合器を用いた咬合器への上下顎模型の装着について示す．平均値咬合器とは調節機構がすでに平均の値をもった咬合器で，上下弓間の垂直的距離を調節する**切歯指導釘**（インサイザルピン）とよばれる機構が付属していることが多い（図 5-92）．

図 5-92　平均値咬合器と咬合平面板
平均値咬合器は，咬頭嵌合位などの静的な上下顎の位置関係については再現可能であるが，偏心位の状態を正確に再現することはできない．平均値咬合器の多くは，咬合平面板とよばれる付属品をもつ．咬合平面板をセットすることで，作業用模型の咬合平面と上弓が平行となる．

1）咬合平面板をもった平均値咬合器への模型の装着

（1）上弓への模型の装着

上顎作業用模型の装着方法を図5-93〜95に示す.

（2）下弓への模型の装着

補綴装置の製作にあたっては，咬合器上にて**咬頭嵌合位**が再現されていることが求められる．咬合分析の結果によっては咬頭嵌合位以外の装着位置もあるが（詳細は『顎口腔機能学』参照），多くの臨床では，下顎作業用模型の装着に際し咬頭嵌合位が採用されるため，ここではその方法について述べる.

まず，上顎模型に下顎の模型を組み合わせ，上下の嵌合が最も安定した位置で上下の模型をワックスなどで固定する．次に咬合器を逆さにして，下顎のモデルプレートと下顎模型の基底面に石膏を盛り，上顎模型装着時と同様に下弓を閉じて固定する.（図5-96，97）.

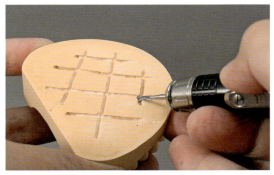

図5-93　作業用模型へのアンダーカットの付与
上顎作業用模型基底面には，石膏による装着を確実にするためにバーなどでアンダーカットを付与する.

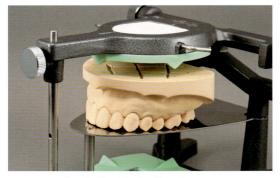

図5-94　上顎作業用模型の位置確認
左右中切歯の中点が咬合平面板の基準点に合うように置く.

図5-95　上顎作業用模型の固定
装着用の石膏を練ってアンダーカットを掘り込んだ上顎作業用模型基底面に盛り，静かに上弓を閉じる．装着用石膏が硬化するまで手を触れずに放置する.

図5-96　下顎作業用模型の咬合器装着
咬合器を逆さにして下顎作業用模型基底面と下弓のマウンティングプレートに石膏を盛る.

a．下弓への模型装着時の注意点

　多くの場合，咬合採得時の顎位はパラフィンワックスなどで記録されるが，咬頭嵌合位でこれを介在したまま咬合器に装着を行うと，下顎の位置がずれる可能性が高い．そこで，咬頭嵌合位の位置関係が明確な場合は，咬合採得材を介在させない状態で模型を嵌合させ，装着を行う（図5-98〜101）．一方，全顎が歯型のみの場合では咬頭

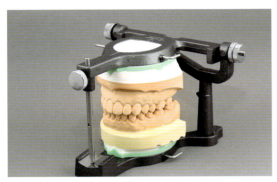

図5-97　咬合器装着完了

図5-98　咬合採得材
咬合関係を再現しているか確認を行う．

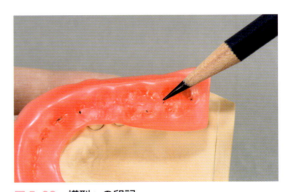

図5-99　模型への印記
咬合採得材の記録を参考に印記する．

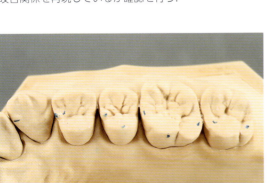

図5-100　印記された対合歯列模型

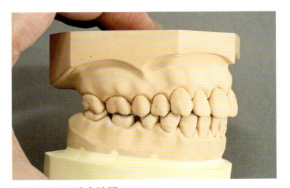

図5-101　咬合確認
印記された箇所を基準に模型をかみ合わせ，咬合が安定していれば咬合器装着を行う．

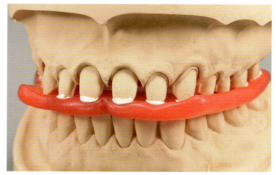

図 5-102，103　咬頭嵌合位のない作業用模型の装着
咬合関係を記録するために採得された咬合採得材を用いて，上下顎の作業用模型を固定する.

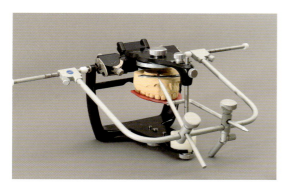

図 5-104　咬合器装着
フェイスボウにより上顎作業用模型を咬合器に装着する.

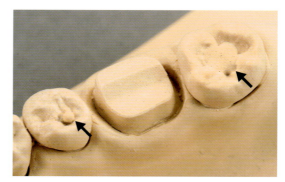

図 5-105　印象採得時の気泡を削除する
未調整のまま装着を行うと，咬合関係が正確に再現されない.

　　嵌合位の再現ができないため，適切な方法にて咬合採得を行い，それを利用して模型の装着を行う（図 5-102，103）.

2）フェイスボウによる咬合器への上顎模型の装着

　　調節性咬合器を使用して，顎運動を正確に咬合器上に再現しようとする場合には，**フェイスボウ**を用いて，上顎の模型を咬合器に装着しなくてはならない（図 5-104，『顎口腔機能学』参照）.

3）咬合器に模型を装着する場合の注意点

　　咬合器に模型を装着する場合の注意点を以下に示す.
　①咬合器の部品が全部揃って，必要な部品が装着されているかを確認する.
　②咬合器にガタつきがないか，調整するところが正しい位置になっているかを確認する.
　③模型の咬合面に気泡（図 5-105）や余剰石膏がついていないか確認する.

④装着に用いた石膏の余剰は確実に除去しておく．
⑤歯型や歯列模型に石膏が付着しないようにする．
⑥装着用石膏が完全に硬化するまでは，移動したり手を触れたりしない．

10 クラウンに与える咬合

個々の患者の隣在歯とよく調和した歯冠形態を付与したうえで，対合歯との間で適切な咬合関係をつくることが基本となる．

1）前歯部のクラウン

（1）前歯部クラウンの咬合

上顎前歯は下顎前歯を被蓋しているが，この上下顎の被蓋は**アンテリアガイダンス**という重要な役割を担っている．アンテリアガイダンスとは，偏心運動時に上顎前歯舌側面の辺縁隆線上を下顎前歯切縁が接触滑走して下顎運動を誘導することで，顆路とともに下顎運動にとって重要な要素である（図 5-106）．アンテリアガイダンスは，臼歯の離開量や咬合面形態，咬頭傾斜角の決定に大きな影響力をもつ．

上顎前歯がレジン前装冠や陶材焼付金属冠（陶材焼付鋳造冠）の場合には，レジンや陶材と金属との境界線（**フィニッシュライン**）に下顎前歯切縁が接触滑走しないようにする．フィニッシュライン上を下顎前歯切縁が接触滑走すると，クラウンの材料との摩耗性の差からその部分に段差が生じ，咬合干渉や破折の原因になる．

（2）前歯部クラウンの形態とワックスパターン形成

前歯部のワックスパターン形成は，反対側の同名歯を参考にしながら，隣在歯との調和を考えたうえで行う．ワックスパターン形成の段階では上顎舌面に下顎前歯が軽く接触した状態にし，研磨の段階で調整して，完成時に上下顎に $10 \sim 20\,\mu\mathrm{m}$ の間隙を与えるようにする．

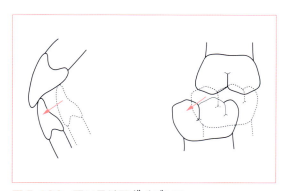

図 5-106　アンテリアガイダンス

2) 臼歯部のクラウン

（1）臼歯部クラウンの咬合

　咬頭嵌合位では必ず臼歯部を接触させ，**ABC コンタクト**（図 5-107），クロージャーストッパー，イコライザー（図 5-108）を付与することによって臼歯の長軸方向に咬合力がかかるようにする．ABC コンタクトによって頰舌的な安定を，クロージャーストッパーとイコライザーによって近遠心的な安定を得ることになる．

　天然歯列では**カスプトゥリッジ**の咬合関係が多いため，修復歯の対合歯が天然歯の場合には 1 歯対 2 歯の咬合関係になることが多い．この咬合関係では機能咬頭が歯間部に嵌合するため，歯間離開や食片の圧入が生じやすいという欠点がある．したがって，上下顎とも補綴する場合や多数歯の修復を行う場合には，機能咬頭が同名対合歯の窩に対向する**カスプトゥフォッサ**（1 歯対 1 歯）の咬合関係にして，咬合力が歯の長軸方向にかかるように，また歯間に食片が圧入しないように配慮する場合がある．咀嚼を効率よく行うために，上下の歯の咬合接触は面接触よりも点接触とする．

　側方運動時には，犬歯誘導咬合やグループファンクションの咬合様式を付与する．**犬歯誘導咬合**とは，側方運動時に上下顎の犬歯のみが接触して作業側・平衡側のすべての臼歯が離開する咬合接触で（図 5-109），臼歯離開を達成するには前歯部のアンテリアガイダンスが重要な役割を担っている．

　一方，**グループファンクション**とは，側方運動時に犬歯に加えて作業側の頰側において同名咬頭どうしが接触する様式の咬合接触で（図 5-110），犬歯と小臼歯の頰側咬頭を接触させる．いずれの場合も，上顎臼歯がレジン前装冠や陶材焼付金属冠（陶材焼付鋳造冠）のときは，前歯同様，フィニッシュラインに下顎臼歯が接触滑走することを避けたほうが望ましい．

（2）臼歯部クラウンの形態とワックスパターン形成

　咬合面は歯軸に対して直角に形成し，可能ならば頰舌径を減少させる．辺縁隆線の高さは隣在歯と一致させ，隣接面接触点の位置を解剖学的形態よりも若干高くして，

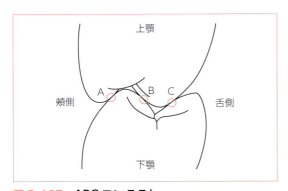

図 5-107　ABC コンタクト

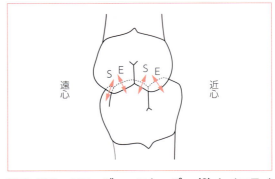

図 5-108　クロージャーストッパー（S）とイコライザー（E）

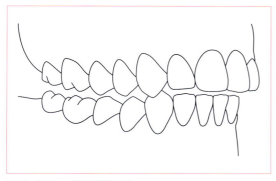

図 5-109　犬歯誘導咬合

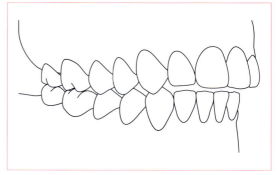

図 5-110　グループファンクション

食片圧入を防止する．また，食物の流れをよくし，咬合圧負担の軽減および運動時の機能的安定をはかるために，上顎では頰側咬頭内斜面，下顎では舌側咬頭内斜面に機能咬頭の運動路に沿って**スピルウェイ**を付与する．頰舌側面の豊隆は過大（オーバーカントゥア）にはせず，歯頸部から 0.3〜0.5 mm 程度の豊隆を付与する．

11 ワックスパターン形成（ワックスアップ）

歯科技工において，金属による製作方法として鋳造という技法が用いられる．鋳造では，最終製作物の原型をワックスにて製作する．このワックスで製作した原型を**ワックスパターン**（ろう型）といい，その技工操作を**ワックスパターン形成**（ろう型形成）という．ワックスパターン完成後，埋没操作を行い硬化後，電気炉にて焼却し鋳造する技法をロストワックス法という．

1）歯型への分離剤の塗布

ワックスパターン形成を行う際に，歯型へのワックス焼付きを防ぐ目的で**ワックス分離剤**の塗布を行う．石膏模型には，微細な小孔があり融解したワックスがしみ込み焼きついてしまう．これを防止するためにワックス分離剤を使用することで，ワックスパターンを変形させることなく歯型から撤去することができる．

（1）分離剤の種類

ワックス分離剤には，界面活性剤系のものとアルコール系のものがある．ワックスと歯型を分離するには，中間に薄い皮膜を形成する必要があるが，アルコール系のものはワックス表面を溶解するため，界面活性剤系のものを主に使用している．

（2）分離剤使用上の注意点

①歯型に塗布されたワックス分離剤は，部分的に溜まらないように拭き取るか，エ

　アを吹きかけ薄い皮膜になるようにする.

②隣在歯や対合歯といった，ワックスパターン形成操作中に融解したワックスが触れる部分にも塗布を行う.

2) ワックスパターン形成の方法

　ワックスパターン形成には以下のような方法があり，またこれらを組み合わせて製作する場合もある.

（1）軟化圧接法

　インレーワックス（棒状を使用するとよい）をガスバーナーなどを用い均一に軟化させ，インレーなどの単純な窩洞に対して手指などで圧接し，温めたヘラなどを用い余剰のワックスを取り除き形態を整える方法である. ワックスの軟化温度が50℃ほどと低く，寸法変化を少なくできるという利点はあるが，内面にシワができたり点角などに圧接不良による欠陥を引き起こすという欠点もある.

（2）ディッピング法

　融解させたインレーワックスに歯型を浸漬し，薄い皮膜を重ねてワックスの塊をつくる（図5-111，112）. 繰り返し重ねたワックスの層の厚みが整った後に，彫刻を行いワックスパターンを完成させる. この方法は**浸漬法**ともよばれ，ワックスを比較的短時間で規定量まで足すことができ，簡単に作業できる. しかし，ワックスの融解温度に注意を払わないと，均一なワックスの層が得られず変形の原因となる. また，ワックスの融解温度と室温との温度差が大きいため，ワックスの収縮が大きい.

（3）盛り上げ法

　インレーワックスを，加熱した**インスツルメント（形成器）**を用いてすくい取り，形

図5-111　融解させたインレーワックスに歯型を浸漬し薄い皮膜をつける

図5-112　均一で薄層のワックスが歯型を取り巻く

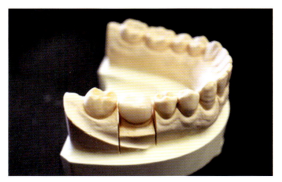

図 5-113　ワックスコーティングした歯型

図 5-114　各咬頭に相当する位置にコーンを立てていく

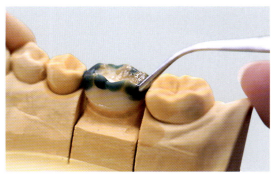

図 5-115　コーンの先端から色の異なるワックスで隆線を形成する

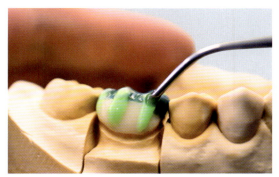

図 5-116　隆線を形成し頬・舌側の豊隆が決定される

態を考えながら歯型に盛り上げていく方法である．ワックスの硬化収縮による変形を抑えるため，少量ずつ盛り上げていき，盛り上げ部を手指などで軽く圧接して硬化を待ち，ワックスパターンの温度上昇を抑制しながら作業を行う．

（4）彫刻法

　ワックスパターンの製作にあたり，(1)〜(3) の 3 つの方法で歯型にワックスを盛り上げ，歯型を模型へ戻し対合歯の圧痕を付与し，接触関係を確認しながら**カービングナイフ**などを用いて歯冠形態を彫刻していくという方法である．彫刻時にはワックスの変形に注意しながら概形の形成をし，小窩裂溝を付与する．ワックスの取り扱いには十分に注意する．

（5）ワックスコーンテクニック（ドロップオンテクニック）

　歯冠を構成する要素を各部位に分解し，特に咬合面形態を機能的に形成していく方法で，E.V. Payne によって原案が確立された．最初にワックスコーティング（図5-113）した歯型上に，対合歯の窩や隆線に対してワックスで円錐形のコーンを植立

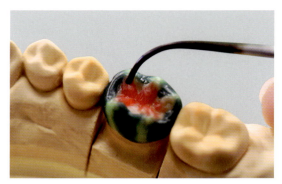

図 5-117　咬合面の隆線を形成していく

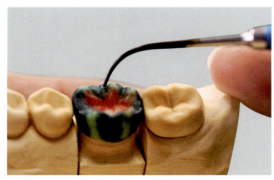

図 5-118　形成した各要素の空隙にワックスを埋め溝や副隆線を形成する

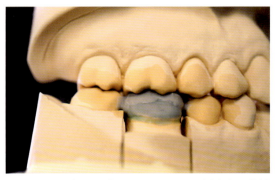

図 5-119　盛り上げられたワックスに対合歯を接触させる

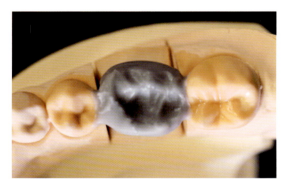

図 5-120　対合歯とかみ合わせ印記されたワックス

（図 5-114）する．コーンの高さは隣在歯に準ずる．そこから各隆線を形成していく（図 5-115〜118）．

　ワックスの盛り上げは少量なため，ワックス内部の残留応力が少なく変形が生じにくいという利点がある．本方法は，後に P.K. Thomas や H.C. Lundeen によって**カスプトゥフォッサ**（cusp to fossa）あるいは**カスプトゥリッジ**（cusp to ridge）などの方法が考案された．

3）ワックスパターン形成時の注意点

（1）咬合面

　解剖学的形態を基準とし，歯と歯列との関係で形態的および機能的調和をはかり，咀嚼機能を十分に回復しなければならない．咬頭嵌合位での適切な咬合接触を与えるとともに，偏心位における咬合様式においても，求められた咬合機能になるよう注意を払わなければならない（図 5-119〜122）．咬合様式については『顎口腔機能学』参照．

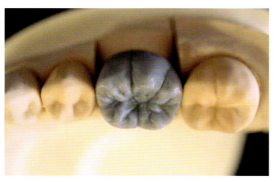

図 5-121　形成されたワックスパターン（咬合面）

図 5-122　咬合紙で接触関係を確認したところ

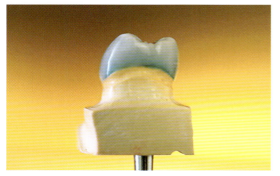

図 5-123　形成されたワックスパターン（隣接面）

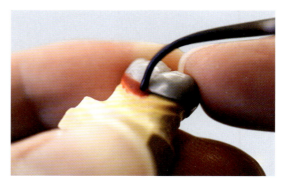

図 5-124　辺縁部 1～2 mm をデザインナイフでカットし，マージン用ワックスにて再形成して仕上げる

（2）頰舌面

　歯肉と頰舌面の**豊隆**には大変密接な関係があり，**過大な豊隆（オーバーカントゥア）**は歯肉への刺激を減少させ，うっ血や腫脹がおこる．また食物残渣も溜まりプラークの沈着も起こる．それに対し，**過小な豊隆（アンダーカントゥア）**は過度の刺激から外傷や炎症が起こり歯肉の退縮を伴う（図 4-19 参照）．歯頸部の立ち上がりの形態は**エマージェンスプロファイル**とよばれ，辺縁歯肉と調和することが重要とされており，豊隆とは密接な関係がある．

（3）隣接面

　隣接面接触は，その意義でもわかるように，歯列を保ち咬合を保持するのに重要な部分である．接触点（面）においては，**各鼓形空隙**を上部，下部，頰側（唇側），舌側に形成する．清掃性を考慮した形態とし（図 5-123），不良が生じると**食片圧入**や**歯間離開**が起こる．

a．隣接面接触点（面）の位置

　前歯部は唇舌的に中央，上下的に切縁側 1/3～1/4 の位置とし，臼歯部は頰舌的に頰

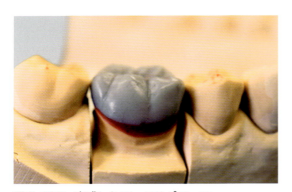

図 5-125　完成したワックスパターン

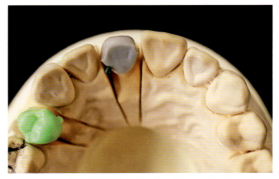

図 5-126　陶材焼付金属冠（陶材焼付鋳造冠）における窓開け

側 1/3，上下的に咬頭側 1/3〜1/4 の位置とする．なお隣在歯との関係や鼓形空隙と歯間乳頭の大きさに関係する．

b. 隣接面接触点（面）の形態

萌出時から咀嚼や生理的動揺などによって，点接触から面接触へと増齢とともに移行する．頬舌的に長さ 2 mm，上下的に幅 1 mm の面とする．

c. 隣接面接触点（面）の強さ

接触点の強さは，模型上で咬合紙が破れることのないように引き抜ける程度とし，ワックスアップでは鋳造収縮や研磨量を念頭に入れ埋没前に盛り足しして盛りしろを整地しておくとよい．作業用模型上ではきつめのほうがよい．

（4）辺縁部

辺縁部の不足や適合不良は二次齲蝕を招き，辺縁部の形態不良は歯周疾患を誘発する危険性があるため，支台歯形成された領域は必ず歯冠補綴装置で被覆し，歯型の辺縁部は特に過不足なく適合させなければならない．辺縁部においてはワックスパターン形成時，きわめて薄くなる部分で変形による適合不良が起こる．仕上げには辺縁部を 1〜2 mm 程度カットし，マージン用ワックスにて再形成を行うとよい（図 5-124, 125）．

（5）前装部の窓開け

歯冠全体をワックスパターンで回復した後，陶材焼付金属冠（陶材焼付鋳造冠）やレジン前装冠では前装材料築盛のための窓開け操作として唇・頬側や咬合面など前装材料築盛部のワックス除去を行う．

a. 陶材焼付金属冠（陶材焼付鋳造冠）

隣在歯との接触点は陶材で回復する．審美的考慮も視野に入れ，隣接部接触点を除去し舌側方向まで削除する．また咬合に関係する舌側面や咬合面においては，咬合時に陶材と金属との移行部に直接対合歯が咬合しないように**窓開け**操作を行う．また前

図 5-127　陶材焼付金属冠（陶材焼付鋳造冠）大臼歯部ワックスパターンにおける窓開け

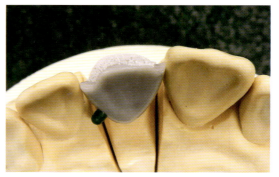

図 5-128　レジン前装冠の窓開けおよびリテンションビーズの付与

装部は鋭角部をつくらないよう滑らかな形態とし，鋳造性も考え，ワックスの厚みは0.3〜0.4 mm とする．変形には十分注意をはらう（図 5-126，127）.

b．レジン前装冠

耐摩耗性や強度で劣る間接修復用コンポジットレジンは，隣在歯との接触部は金属で回復を行う．そのため，隣接面の接触部はワックスを残し，**窓開け**は唇側寄りの範囲に留める．また金属と間接修復用コンポジットレジンは，接着の観点から，機械的維持と化学的維持の両方に頼るため，窓開け部の色調再現に影響の少ない場所に**リテンションビーズ**などの維持を付与する．ワックスの厚みは 0.3〜0.4mm とする（図5-128）.

12 埋　没

ワックスパターンを金属に置き換えるため，ワックスパターンに埋没材とよばれる耐火材を流し固める．この一連の作業を埋没という．

1）埋没の前準備

（1）ワックスパターンの最終チェック

辺縁部の再形成，**隣接面接触部の盛り上げ**，仕上げ研磨などの作業を行う．

（2）リムーバルノブの付与

口腔内に試適後の撤去作業時に辺縁部を損傷させないために，**リムーバー**をかけるための**リムーバルノブ**（撤去用突起）を付与する．舌や口腔粘膜および咬合に影響を及ぼさない辺縁部寄りに下方向きに付与する（図5-129）.

図 5-129 咬合に関係しない部位にリムーバルノブ
を付与する

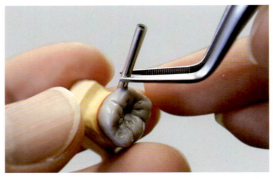

図 5-130 中空金属スプルーにてスプルーイングを
行う

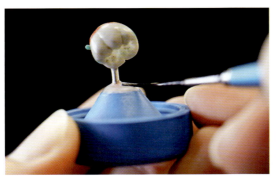

図 5-131 円錐台にワックスパターンを植立する

図 5-132 エアベントを付与したところ（オープン
ベント）

（3）スプルーの植立

　鋳造する過程で金属が通過する**湯道**を**スプルー**といい，湯道をつける作業をスプルーイングという．スプルー線には，ワックスやレジン，金属線などを用いる．スプルーの植立にあたっては以下に注意して作業を進める．

①スプルー線切断後の研磨を考慮して，形態を損なわず咬合関係に影響のない肉厚部（非機能咬頭外斜面など）に，歯軸に対して斜め上方向に植立する（図 5-130）．

②金属スプルーの場合，熱したスプルーによって形態が損なわれたり，熱せられたインスツルメントやワックスなどで形態を崩す場合がある．スプルーには中空円形のものがありワックスを中に吸引できるものもある．太さはワックスパターンの形状や厚み，大きさに合わせて選択する．

③鋳造リング内のほぼ中央にワックスパターンを植立し，埋没材の厚みを十分とる（図 5-131）．

④鋳造リングの底から 6〜8 mm 程度，距離を確保する．

図5-133　ワックスパターン内面に先端の軟らかいものを使用して埋没材を盛り付ける

図5-134　気泡の入りやすい内面や小窩裂溝へ埋没材を盛り付けたところ（一次埋没）

（4）エアベントの付与

　鋳造時には，鋳型内部に融解金属とともに圧縮された空気が流れ込み，埋没材の通気性によって鋳型外に排出される．しかし，融解された金属が辺縁部など細部に至るまで充足するためには，**通気孔（エアベント）** を設けることで，圧縮された空気をさらに逃がしてあげる必要がある．通気性の悪い**高温鋳造用埋没材（リン酸塩系埋没材）** を用いる場合や，ワックスパターンの肉厚部に用いる．ワックスパターンと外気とが直接連結しているものを**オープンベント**（図5-132）といい，連結していないものを**ブラインドベント**という．

（5）界面活性剤の塗布

　ワックスは埋没材をはじくため，**ぬれ**効果をもたせるため**界面活性剤**を塗布する．界面活性剤にはスプレータイプのものが多く，塗布後，液が溜まることがあるので，異物除去も兼ねて軽くエアをかけるのもよい．

（6）リングライナーの取り付け

　鋳造リング内に**緩衝材**として，**リングライナー**を裏装する．その目的として，鋳造後のリングからの埋没材撤去作業を容易にしたり，埋没材の硬化膨張や加熱時に起こる自由な膨張を緩衝させることが挙げられる．

2）埋没方法

　埋没方法は，以下のとおり手法によって分類される．

（1）単一埋没法

　埋没材を満たした中へワックスパターンを埋没する方法で，複雑な形態では気泡の混入が生じる．

図5-135 二次埋没として円錐台にリングをセットし埋没材を流し込む

図5-136 真空練和器（バキュームミキサー）

図5-137 真空練和を行った埋没材をリングに流し込む真空埋没法

図5-138 金属スプルーを使用した場合は必ず焼却前に抜き取る

（2）二重埋没法

一次埋没，二次埋没からなる．一次埋没（図5-133，134）では，ワックスパターンの内面や小窩裂溝といった気泡の入りやすいところへ，筆や先端の軟らかいものを使用し盛りつける．硬化後，二次埋没（図5-135）として，円錐台にリングをセットし流し込む．

（3）真空埋没法

真空練和器を用いて気泡を取り除いた埋没材を，**円錐台**にワックスパターンを植立しリングにセットされたところへ一気に流し込む方法をいう（図5-136，137）．

（4）型ごと埋没法

耐火模型材上でワックスパターンを採得し，スプルーイングを施して耐火模型ごと埋没する方法をいう．リン酸塩系埋没材や石膏系埋没材で結合材の含有量が多いものを使用する．

図 5-139　ワックスパターン加熱焼却器（オートファーネス）

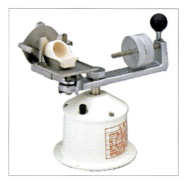

図 5-140　遠心鋳造機

図 5-141　吸引加圧鋳造機

13 鋳造作業

埋没されたワックスパターンを**加熱焼却器**（図 5-138，139）にて焼却し，鋳型内にできた空洞に，融解された金属を鋳込む作業を**鋳造**という．歯科技工において鋳造は**精密鋳造**とよばれ，工業界においてもきわめて精度が高い**ロストワックス法**で行われている．

1）鋳造方法

鋳造方法は以下のとおりである．

（1）遠心鋳造法

最も一般的な方法で，バネの力を利用して一気に回転させ，そのときの遠心力で，るつぼ内で融解された金属を鋳型内へと流し込む方法である（図 5-140）．

（2）加圧式鋳造法

融解した金属に圧をかけ鋳型内の空洞へ押し込む方法であり，圧をかける方法によって**圧迫鋳造法**，**ガス圧鋳造法**，**空気圧鋳造法**といった種類がある．

（3）減圧（吸引）鋳造法

鋳造リング内を減圧することによって融解した金属を吸引して鋳造する方法である．**吸引加圧鋳造機**は，鋳造後に加圧するという併用式をとっており，鋳造効率が高い（図 5-141）．埋没材の通気性が重要である．

図 5-142　ブローパイプによる金属の融解

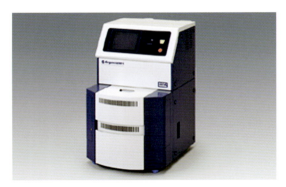

図 5-143　高周波鋳造機

2）金属の融解方法

金属の融解方法には以下のものがある.

（1）ブローパイプによるガス炎

都市ガスや**プロパンガス**と**空気**との混合気体を専用の**ブローパイプ**に通した炎で，フレーム状の**還元帯**で金属を加熱し融解する方法である（**図 5-142**）．一般的には都市ガスやプロパンガスに空気を送り込み混合ガスにして融解するが，この方法では1,200℃が限界であり，高融点の金属を使用する場合は空気の代わりに**酸素**（1,100〜1,700℃）を用いて融解する．熱源の取り扱いには十分注意する.

（2）電気抵抗

ニッケルクロム（ニクロム）線や**白金線**を熱源とし，るつぼ内の金属を融解する方法で，鋳造機自体に組み込まれて使用される．温度管理が可能なため，均一な融解でオーバーヒートを抑えられる．融解温度範囲は，ニクロム線で800〜1,000℃，白金線で1,100〜1,500℃である.

（3）高周波誘導融解

高周波により，合金内部に熱をもたせて融解する方法である．通電の量により融解温度の調整が可能で，コバルトクロム合金など，**非貴金属**で**高融点**（1,100〜2,500℃）の金属を鋳造するときに使用する（**図 5-143**）．なお貴金属は電気抵抗が小さく熱効率が悪い.

（4）アーク融解

アーク放電により高熱で融解する方法で，主に高温融解（1,100〜2,500℃）が必要なコバルトクロム合金やチタンに用いる.

図 5-144　鋳造後，リングより抜き取った埋没材から鋳造体を割り出す

図 5-145　ブラスターにて鋳造体に残った埋没材を完全に取り除く

図 5-146　温められた溶液で鋳造体表面の酸化膜を除去する

3）鋳造時の金属の取り扱い

鋳造時の金属の取り扱いには以下のことに注意する.

①使用する金属には貴金属系，非貴金属系とさまざまな種類があり，融解温度も異なるため，金属の融解温度や融解方法，鋳造タイミングなどを熟知しておく必要がある.

②金属融解時に加熱しすぎると**オーバーヒート**になり，金属酸化が起こって組成の変質や表面粗れの原因となる.

③融解された金属の二次使用は，組成の変質などにより本来の金属特性を崩すため，可能であれば新しい金属へと交換するのが望ましい.

④融解された金属を鋳型内へ流し込む場合，使用金属の種類によって鋳型温度を変える必要がある. 高融点を有する金属の場合は鋳型温度を上げ，逆に銀合金のような融解温度が低い金属では鋳型温度を下げてから鋳造する.

4）鋳造体の清掃

鋳造体の清掃は次の手順で行う.

①鋳造後，鋳造リングを放冷し，冷却を待ってから鋳造体を埋没材から割り出す（図5-144）.

②ブラシや**スチームクリーナー**または**ブラスター**などを用いて鋳造体に残った埋没材を完全に取り除く（図5-145）.

③鋳造体表面の**酸化膜**は，金合金の場合は40～50%の**塩酸溶液**，金銀パラジウム合金では10～20%の**硫酸溶液**など，**酸処理液**を用いて除去を行う．**超音波洗浄器**を使用したり酸処理液を温めると効果的である（図5-146）.

14 連結法

連結法とは，通常は固定性ブリッジにおいて支台装置とポンティックを連結する方法をいう．また，多数歯にわたる支台装置の連結やアタッチメントなど既製の合金製作物を支台装置に連結する場合にも用いる．

連結法は大きく以下の4つに分類される．

1）ワンピースキャスト法（一塊鋳造法）

ブリッジや連結冠などの支台装置とポンティック，または支台装置どうしといった

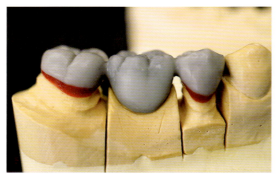

図5-147　ワンピースキャスト法におけるワックスパターン

図5-148　円錐台に植立されたワックスパターン

図5-149　自浄性を考え入念に研磨を行う

図5-150　鋳造，研磨されたワンピースキャストブリッジ

ワックスパターンを一塊鋳造で製作する方法である．ワックスパターンの容量が大きいとワックスの変形や鋳造収縮により適合精度が悪くなる危険性があるが，自浄性や審美性向上のため連結部の面積を小さくする必要がある場合に応用される．ワックスパターンを連結する際や歯型から抜き取る際は十分注意すること，またスプルー線植立の位置や方法にも配慮する必要がある（図5-147〜150）．

2）ろう付け法

接合される金属の融解温度より融点の低い**ろう材**を用いて，母金属間の間隙へ流し込む方法である．**ろう付け法**は支台装置とポンティック間や支台装置どうしの連結のほか，隣接面接触部の弱いときや鋳造体の鋳巣などの閉鎖などにも応用される．

（1）ろう材の所要性質

①母材より融解温度が100〜200℃低いこと．
②母材に対してぬれが良好なこと．
③流れが良好なこと．
④母材との電位差が小さく，腐蝕を起こさないこと．
⑤母材の強度に近いこと．
⑥母材の色に近いこと．

（2）ろう付け時の注意点

①ろう付け部の間隙は0.05〜0.3mmの幅を設ける．
②ろう付け部が酸化されないように研磨，調整，清掃を行う．
③ろう材と母材表面の酸化膜除去と酸化防止のため，ろう付け部に少量の**フラックス**を塗布し，**ぬれ効果**と**流動性**の促進を促す．
④熱膨張量が少なく強度のある専用の埋没材を使用してろう付け部以外を包埋し，ろう付けされる装置を確実に固定する．
⑤ろう材がろう付け部以外の場所へ流れ込むのを防止するために，**アンチフラックス**の塗布を行う．アンチフラックスとは，酸化した部分にはろう材が流れないという特性を利用して，母材の表面に酸化膜を形成して保護するもので，金属酸化物を溶媒で溶解した**ペーストルージュ**（酸化鉄や酸化クロムをクロロフォルムで溶解したもの），**炭素粉末**（4Bなどの鉛筆）などを用いる．
⑥**埋没用ブロック**は均一に**予備加熱**する．
⑦ブローパイプには専用の**ろう付け用チップ**があり，細い**還元炎**を用いてろう付け作業を行う．

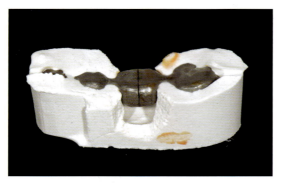

図 5-151　埋没用ブロック
陶材築盛前にメタルフレームどうしをろう付けするために用いる．ろう付けする箇所は火炎の通りがよいように開けて，ろう付け面の表面積はできるだけ多く確保する．

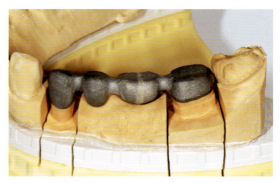

図 5-152　メタルフレームどうしのろう付け

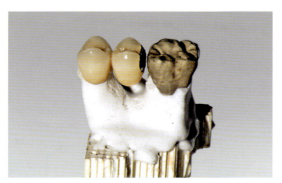

図 5-153　陶材焼成後の炉内ろう付け

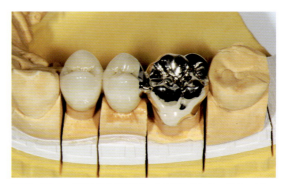

図 5-154　後ろう付け法により完成したブリッジ

（3）陶材焼付金属冠（陶材焼付鋳造冠）におけるろう付け

a．前ろう付け法

　フレームに陶材を築盛する作業に入る前に，**メタルフレーム**どうしをろう付けする方法で，融解温度が築盛する陶材の焼成温度よりも高くメタルフレームの融解温度よりも低いろう材を使用する．また，ろう材は陶材と熱膨張係数が近似していることが望ましい（図 5-151, 152）．

b．後ろう付け法

　陶材焼成後にろう付けを行う方法で，**異種金属**で構成された装置の連結や**マルチユニット**のブリッジに用いる．使用するろう材の融解温度は陶材の焼成温度より低くなければならず，750〜850℃の融解温度をもつろう材が一般的である（図 5-153, 154）．

3）溶接法

　　　　　レーザー溶接や**スポット溶接**などがある．
　　レーザー溶接は，レーザービームを用いて母材どうしまたは母材とろう材を結合す

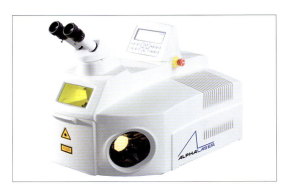

図 5-155　レーザー溶接機

る方法で（図 5-155），ろう付け法との違いは以下のとおりである.

①母材と**同組成**のろう材を使用するので，口腔内での化学的安定性に優れている（フィラーメタルのように母材と同じ組成の金属を使用する）.

②ろう付け法の場合，母材も広範囲に加熱するため，前装材料がある場合には使用制限がある．それに対してレーザー溶接は，局所的な小範囲での接合が可能なため，前装材料に悪影響を及ぼさない.

③ろう付け法のように全体的に酸化されることがない.

④ろう付け法のように埋没作業が必要ないため，作業用模型上での溶接も可能である.

4）鋳接法

アタッチメントなどの合金製作物をワックスパターンに連結し，一塊に埋没，鋳造することで，機械的な嵌合によって連結する方法である.

15 調　整

鋳造後，埋没材の除去が行われた歯冠補綴装置，修復物は，作業用模型への試適を行うが，鋳造欠陥（『歯科理工学』参照）など障害となる要素があるため，慎重に作業を進める.

1）外面の調整

精密に調整されなかった鋳造体については，再製作しなければならない．その原因としては，鋳造圧に耐え切れず各部が欠陥したものや鋳込み不良による再現不良などが挙げられる.

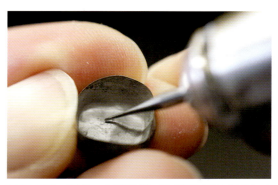

図 5-156　歯型への試適前に必ず鋳造冠の内面をチェックする

図 5-157　歯型への適合性を確認する

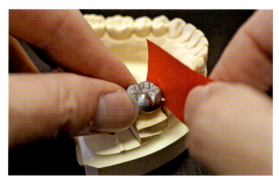

図 5-158　咬合紙を挟み接触点の強さを調整する

図 5-159　隣接面の調整で印記された接触部

2）内面の調整

　　鋳造冠の内面には，埋没材の小さな気泡が付着し生じた突起や歯型隅角部の再現不良などが存在することがあるため，歯型への試適前に拡大鏡を用いて精査する．これらの調整を行わずに，無理に押さえ込んで作業を進めても，石膏模型とは違い口腔内では歯を傷つけてしまう．気泡の除去は大きさに合ったラウンドバーなどを使用し（図5-156），歯型へのあたりがある場合には専用の適合検査材を塗布し，あたった部分のみをカーボランダムポイントなどで調整する．鋳造冠の内面は50 μm の**アルミナブラスト処理**を行う．鋳造冠内面の適合性は，口腔内装着後のクラウンの維持に関係する．

3）辺縁部の調整

　　歯型への適合性を確認するため，鋳造冠辺縁部が歯型辺縁部のラインの位置に戻っているかチェックする（図5-157）．**オーバーハング**（辺縁部がオーバーしている）している部分はカーボランダムポイントなどで除去し調整する．辺縁部がアンダーになっている場合は再度ワックスパターン形成から行う．

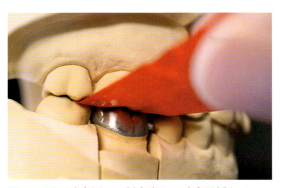

図 5-160　咬合紙にて対合歯との咬合関係をチェックする

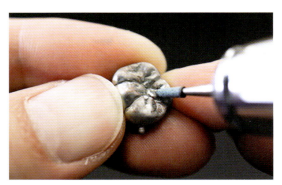

図 5-161　過度な咬合接触部分をカーボランダムポイントで切削，削合する

図 5-162　ラウンドバーにて小窩裂溝を形成する

4）隣接面の調整

　　ワックスパターンにおいて，あらかじめ研磨しろを設けて少し強めに製作しているため，接触点の大きさや強さの調整が必要である．接触点の不良は食片圧入や歯の移動を招くことから，目安としては咬合紙（30～40 μm）を隣接面に挟んで模型上で破れずに引き抜ける程度に調整し，形態も修正を行い，鼓形空隙の大きさも確認する（図5-158，159）．

5）咬合面の調整

　　鋳造冠の内面，辺縁部の適合，隣接面の調整を経て作業用模型の歯列内へ収めた後，対合歯との咬合関係をチェックする．まず，咬頭嵌合位での接触状態を咬合紙を用いて確認し，色が強くついた**咬合干渉部位**をカーボランダムポイントなどで削合，調整する（図5-160～162）．偏心運動時の接触状態も確認し，削合，調整する．作業中，無接触になった場合は再度ワックスパターン形成から行う．

16 研　磨

　　口腔内に装着する歯冠補綴装置は，装着感や予後の影響も考え，表面を滑沢に磨いておくことが必要である．

1）研磨の意義と目的

　　研磨の意義と目的は以下のとおりである．
①歯冠補綴装置表面の凹凸部に，**食物残渣**や**デンタルプラーク**が付着するのを防ぐ．
②軟組織に対する機械的刺激をなくし，異物感を少なくすることによって障害を防ぐ．
③舌感をよくし，咀嚼や発音の妨げになるのを防ぐ．
④審美性が向上し，変色や着色を防ぐ．

2）研磨器具と材料

　　研磨で使用する主な器具や材料を，以下に示す．
①ダイヤモンドポイント：陶材の形態修正や**粗研磨**に用いる．歯の切削（エナメル質，象牙質）にも用いる．
②タングステンカーバイドバー：レジンの形態修正や金属冠の形態修正，粗研磨に用いる．歯の切削（エナメル質，象牙質）にも用いる．
③スチールバー：金属冠の形態修正，粗研磨に用いる．歯の切削（エナメル質，象牙質）にも用いる．
④カーボランダムポイント・ディスク：レジン，陶材，金属冠の粗研磨，形態修正や金属冠のスプルー切断に用いる．歯の切削（エナメル質，象牙質）にも用いる．
⑤ペーパーコーン：粒子の粗さによって，レジンの形態修正，陶材の中研磨，金属冠の形態修正，粗研磨に用いる．
⑥シリコーンポイント・ホイール：レジン，陶材，金属冠の中研磨に用いる．
⑦ブラシ（豚毛，馬毛）：レジン，金属冠の**中研磨**に用いる．
⑧バフ（布，皮革，フェルト）：レジンや金属冠の仕上げ研磨に用いる．
⑨磨き砂：浮石末やアルミナ，珪藻土などが使われ，水で溶いた磨き砂をレジンなどにつけてブラシにて**中研磨**を行う．
⑩つや出し材：酸化鉄や酸化スズなどがあり，バフを使用し，レジンや鋳造冠の**仕上げ研磨**を行う．

3）研磨材と研磨能率の関係

　　使用する研磨材粒子の違いは研磨能率に影響する．
①研磨材粒子は対象物よりも硬いものを用いる．

②研磨材粒子は鈍角よりも鋭角な形状のほうが研磨能率がよい.

③研磨材粒子の大きさは，大きいほど能率は上がるが，研磨傷が深くなる.

④低回転での使用は，粒子による傷をつけるので注意する.

⑤研磨材粒子に荷重をかけすぎると，粒子を破砕して研磨傷を深くする．発熱に注意する.

4）研磨の方法

研磨の方法には，**機械研磨**と**電解研磨**がある.

（1）機械研磨

a．金属冠の研磨

①スプルー切断と粗研磨：カーボランダムディスクでスプルーを切断し（図5-163），カーボランダムポイントやタングステンカーバイドバー，ペーパーコーンなどを用い概形の修正を含め粗研磨を行う（図5-164）．咬合面の小窩裂溝は小さなバーなどを用いて修正する.

図5-163　カーボランダムディスクでスプルーを切断する

図5-164　ペーパーコーンで概形の修正を含め粗研磨を行う

図5-165　シリコーンポイントによる中研磨

図5-166　リムーバルノブや溝など細かい所には形状の違うポイントを使用するとよい

図 5-167　ロビンソンブラシによる中研磨

図 5-168　バフにて仕上げ研磨を行う

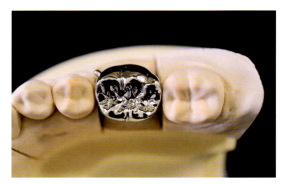

図 5-169　研磨完成された金属冠

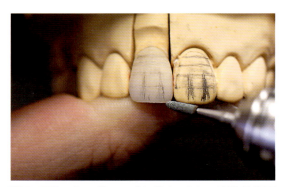

図 5-170　カーボランダムポイントにて間接修復用コンポジットレジンの形態修正および粗研磨

②中研磨：粗研磨を終えた表面を，歯冠形態に合った各種シリコーンポイント・ホイールなどを用いて研磨を行う（図 5-165〜167）．さらに微細な部分はブラシなどで研磨する．

③仕上げ研磨：つや出し材を使用し，バフ研磨を行う（図 5-168, 169）.

b.　間接修復用コンポジットレジンの研磨

①粗研磨：カーボランダムポイントやタングステンカーバイドバーなどを用いて，形態修正を含め粗研磨を行う（図 5-170, 171）.

②中研磨：シリコーンポイントで研磨し，ブラシにて水で泥状にした磨き砂を用いて研磨を行う．このとき，レジンの表面性状などに注意しながら作業を行う．

③仕上げ研磨：バフやシャモア，フェルトホイールなどに，専用のルージュや油脂で練った酸化亜鉛を使用し行う（図 5-172, 173）．ガラスフィラーの含有率が高い**ハイブリッド型コンポジットレジン**については，専用のつや出し材などがあり，陶材の研磨方法に準じる場合もある．

c.　陶材の研磨

①粗研磨：カーボランダムポイントやダイヤモンドポイントなどで，形態修正を含め粗研磨を行う（図 5-174）．注水しながら使用すると発熱を抑えられる．

図 5-171　形態修正後，歯面の表面性状を与える

図 5-172　バフによる仕上げ研磨

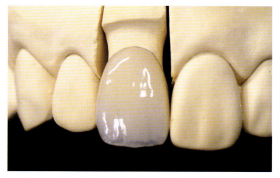

図 5-173　完成したレジン前装冠

図 5-174　カーボランダムポイントによる陶材前装部の形態修正・粗研磨

図 5-175　シリコーンホイールにより隆線などの中研磨を行う

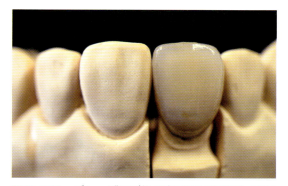

図 5-176　グレージング後の陶材焼付金属冠（陶材焼付鋳造冠）

②中研磨：シリコーンホイールなどを用いて行う．注水しながら使用すると発熱を抑えられる（図 5-175）．

③グレージング（つや出し焼成）：中研磨終了後，超音波洗浄を行い，焼成温度にて大気焼成を行うことで，陶材表面をガラス状の表面に仕上げる（図 5-176）．

図5-177　陶材の形態修正から仕上げ研磨まで行える各種ポイントおよび研磨材

図5-178　グレージング後，メタルフレームの仕上げ研磨を行う

④仕上げ研磨：グレージング後，咬合調整や接触点の調整などにより陶材表面が削られた場合，陶材専用の各種ダイヤモンドポイントやシリコーンポイント・ホイール，ブラシを使用して表面の調整や研磨を行う．仕上げ研磨として，バフやフェルトといったホイールに専用のルージュを用いてつや出しを行う（図5-177, 178）．メタルフレームの仕上げ研磨も行う．

（2）電解研磨（化学研磨）

　主にニッケルクロム合金やコバルトクロム合金の研磨に使用するもので，電解液中（硫酸，無水酢酸，リン酸などにグリセリンを混入したものなど）に電極があり，研磨する合金を陽極へ，鉛または銅を陰極にセットし，合金表面を析出し平滑にする方法である．電解研磨を行う前に機械研磨を施し，アルミナブラスト処理を行っておくと有効である．

17 試適・仮着・合着

　試適および仮着など，必要に応じて段階を踏んで作業用模型上で完成された歯冠補綴装置は，歯科診療所へ納入され，歯科医師によって患者の口腔内へと運ばれ支台歯に合着される．

1）試　適
（1）試適の目的
　製作された歯冠補綴装置は，形成された支台歯を完全に被覆しなければならず，口腔機能および審美性の回復を満たさなければならない．必要に応じて試適後に形態，色調などを調整する．

図 5-179　コンタクトゲージ

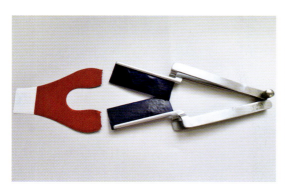
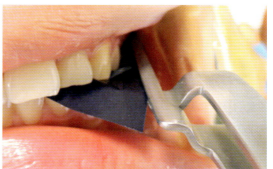

図 5-180, 181　咬合検査

（2）診察・検査項目

a. 適合状態

　鋭利な探針などを用い，辺縁部を過不足がないか確認するとともに，歯冠補綴装置の内面が支台歯と均一に適合しているかを，**適合検査材（ホワイトシリコーン**など）を用いて診査する．

b. 隣接面接触関係

　コンタクトゲージ（50, 110, 150 μm の薄い金属板）や**デンタルフロス**などを用いて，接触域が十分回復されているかどうかや，鼓形空隙の状態も確認する（図 5-179）．

c. 咬合関係

　咬頭嵌合位や偏心咬合位で，咬合紙（30〜40 μm のカーボン紙）や**ブラックシリコーン**などを用いて咬合干渉がないかを確認し，調整を行う（図 5-180, 181）．

d. 審美性

　色調，形態が隣在歯や口唇，顔貌と調和しているか，審美的な歯冠補綴装置として患者の要望を満たしているかを確認する．

e. 排列関係

　歯列全体と調和し，舌感に異常がないか，発音に障害がないかを確認する．

f. 歯周組織との関係

辺縁部の歯周組織が圧迫を受けたり，損傷が及んでいないか，また頬舌的豊隆が隣在歯と調和しているかなどを確認する．

2) 仮 着

完成した歯冠補綴装置を一定期間口腔内にて仮装着し，咀嚼運動や発音機能，審美性が所期の目的に達しているかなど，試適時には判定しえないことを確認する．

（1）確認事項

①咬合状態
②歯周組織との親和性
③清掃性
④デンタルプラークの付着状況
⑤舌感
⑥審美性

（2）仮着時の注意点

①仮着期間は1〜2週間程度で，目的に応じ長期間行うこともある．
②撤去時に辺縁部を損傷させないよう，金属冠のような辺縁部が薄いものには**リムーバルノブ**を付与する（辺縁部より2〜3mm上方で，舌感に影響しない部位）．
③仮着中は歯冠補綴装置が外れやすいので，粘着性の食品摂取は避けるよう指導する．
④通常，**ポーセレンジャケットクラウン**などの脆性材料でできた歯冠補綴装置は，撤去時に破損する恐れがあるので仮着はしない．
⑤仮着材は，仮着期間中は咀嚼などによって外れにくく，また必要に応じて撤去でき歯冠補綴装置内面も清掃しやすい材料を用いる（図 5-182〜185）．
⑥歯髄や歯周組織に為害作用がない材料を用いる．

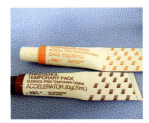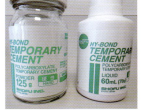

図 5-182〜185　**仮着材**

3) 合　着

試適および必要に応じて仮着を経た後で，最終的に支台歯に合着される．

（1）合着作業

①歯冠補綴装置内面および支台歯の歯面清掃，消毒，乾燥を行う．

②支台歯の周辺を防湿する．

③合着材の混液比を厳守して練和を行い，歯冠補綴装置内面へ注入する．

④歯冠補綴装置を支台歯に挿入し圧着を行い，適合しているか確認する．

⑤木片やロールワッテなどを介して持続的に加圧し，合着材の流動抵抗による浮き上がりを防止する．

⑥合着材の硬化を待って，余剰部を除去する．

⑦咬合接触状態や隣接面の接触状態を確認する．

（2）合着材（図 5-186～188）

a. レジンセメント

4-META 系，リン酸エステル系などがあり，歯質や金属，セラミックスに対する接着力がある．特に**オールセラミッククラウン**などには，一般的に使用されている．

b. リン酸亜鉛セメント

歯科用セメントでは古くからある合着材として利用され，嵌合抗力により歯冠補綴装置を支台歯に維持する．硬化後に除去する場合，容易である．

c. ポリカルボキシレートセメント

歯質と金属に対して特異的な接着力がある．

d. グラスアイオノマーセメント

歯髄への刺激性が少なく，化学的に接着する．

図 5-186～188　合着材

18 レジン前装

1）前装部の形態

　基本的に外観に触れる部分はすべてレジンによる回復となるが，レジンは陶材と比較して機械的性質，耐摩耗性などが劣るため，対合歯と接触，滑走する部分は金属で回復される．具体的には前歯部舌側面，臼歯部咬合面，下顎前歯部切縁付近，下顎臼歯部機能咬頭付近は金属となり，隣接面接触部も金属で回復されることが多い（図5-189，190）．このため審美性の点で問題となることがあるが，近年では材料の進歩により，金属で被覆する部分を少なくする設計が可能になりつつある．

2）前装部の維持形態，接着技法

　焼成することで強固に金属と結合する陶材とは異なり，レジンは重合するだけでは金属と結合しない．そのため機械的な維持と化学的な維持（接着）が併用される．

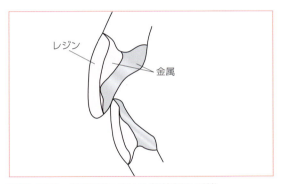

図 5-189　前歯部における前装部の形態

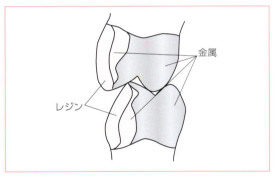

図 5-190　臼歯部における前装部の形態

図 5-191　リテンションビーズが付与されたレジン前装冠のワックスパターン

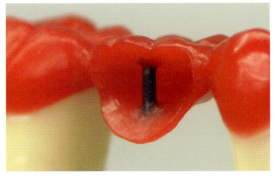

図 5-192　バー（維持棒）が付与されたレジン前装ポンティックのワックスパターン

表5-4 金属接着プライマー

名称	製造	接着機能性モノマー	溶媒	適応
プライムアートオペークプライマー	サンメディカル	VTD*	アセトン	貴金属*のみ
メタルタイト	トクヤマデンタル	MTU-6*	エタノール	貴金属*のみ
アロイプライマー	クラレノリタケデンタル	VTD*, MDP**	アセトン	貴金属*, 非貴金属**
メタルプライマーZ	ジーシー	MDTP*, MDP**	エタノール	貴金属*, 非貴金属**
メタルリンク	松風	10-MDDT*, 6-MHPA**	アセトン	貴金属*, 非貴金属**
セシードNオペークプライマー	クラレノリタケデンタル	MDP**	非公表	非貴金属**のみ

（1）維持形態

a. 機械的維持装置

　前装部の金属表面に**アンダーカット**を付与し，その**嵌合力**によってレジンを維持する．アンダーカットを得るための形態としては，バー，おろし金，ループなどもあるが，一般的には**リテンションビーズ**が用いられる（図5-191）．レジン前装ポンティックの場合は**バー**（**維持棒**）も使用される（図5-192）．

b. 微小維持

　機械的維持装置が付与された前装面を**アルミナ**（酸化アルミニウム）で**ブラスト処理**をすることにより，表面に微細な凹凸が形成されるとともに接着面積が増加する．前装面に付着した接着阻害因子を除去する効果もあり，接着のための前処理としての役割も大きい．

（2）接着処理

　接着処理としてはシリカ層をコーティングする方法などもあるが，現在は**金属接着プライマー**を塗布する方法が主流になっている．金属接着プライマーには，合金中の特定元素に接着する機能性モノマーが添加されており，アルミナブラスト面にスポンジで塗布，あるいは直接滴下するだけで処理が完了する．なお，貴金属と非貴金属に有効なモノマー成分は異なるため，プライマーの選択には注意しなければならない（表5-4）．

3）前装材の種類

　現在，前装用のレジンには，成形性に優れ，重合前後で色調の変化が少ないペーストタイプの光重合型コンポジットレジンが用いられている．また，可及的に無機質フィラー含有量を多くした材料も発売され，インプラント上部構造やメタルフリーのインレー，ジャケットクラウンにも応用されている．

図5-193　前装用のレジン

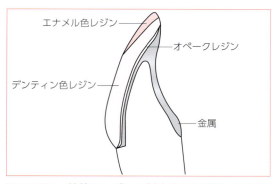

図5-194　前装用レジンの基本的な築盛例（二層築盛）

前装用のレジンには，歯冠色を再現するため，基本的に以下のような種類がある（図5-193）.

①**オペークレジン**：金属色を遮断し，色調の下地をつくるためのレジン．リテンションビーズのアンダーカット部まで確実に塗布し，必要最小限の厚さになるよう築盛，重合を数回行う.

②**デンティン色レジン**：歯冠部の色調を再現するためのレジン．ボディ色レジンとも称される．歯冠の歯頸部寄りの約2/3は完成時と同一形態とし，切縁にかけて徐々に薄くなるように築盛する.

③**エナメル色レジン**：切縁部の色調などを再現するためのレジン．インサイザル色レジンとも称される．歯冠の切縁寄り1/3に薄く築盛する.

このほかにも切縁部の透明感を再現するトランスルーセント色レジンや，歯頸部の審美性を高めるサービカル色レジン，歯肉の色調再現をするものなどがあり，その構成はメーカーにより異なる．また，さまざまな歯の色に対応するため，シェードガイドに合わせた色調がそれぞれ用意されている.

基本的な築盛例を図5-194に示す.

19 陶材の築盛・焼成

1）陶材の種類

（1）焼成温度による分類

①**高融陶材**：義歯用の既製陶歯などがある.

②**中融陶材**：ポーセレンジャケットクラウンのコア材として使用されるアルミナ陶材などがある.

③**低融陶材**：臨床的に多く用いられる金属焼付用陶材，耐火模型上で焼成するインレー，アンレー，ラミネートベニア用陶材，アルミナやジルコニアなどをコーピ

ングに用いたオールセラミッククラウン外装用陶材などがある．このなかで陶材焼付金属冠（陶材焼付鋳造冠）やオールセラミッククラウン製作に用いる陶材は，熱膨張率を焼付用合金やセラミックスに近似させたものが用いられている．

（2）陶材の種類

歯冠色を再現するために以下のような種類がある．

①**オペーク陶材**：金属色を遮断し，色調の下地となる陶材で，合金と陶材を焼き付ける役割をもつ．粉末タイプのものとペーストタイプのものがある．

②**オペークデンティン**（サービカル）**色陶材**：歯頸部付近など陶材層の薄い部分の色調を再現するための陶材．デンティン色陶材より不透明になっている．ポンティックの基底部にも使用できる．

③**デンティン**（ボディ）**色陶材**：歯冠部（象牙質）の色調を再現するための陶材．

④**エナメル**（インサイザル）**色陶材**：歯冠部（エナメル質）の色調を再現するための陶材．二層築盛の場合は，切縁部にも使用する．

⑤**透明**（トランスルーセント）**色陶材**：切縁部（エナメル質）の色調を再現するための陶材．エナメル色陶材より透明度が高く，歯表層の透明感を再現できる．

⑥**着色用**（ステイン）**陶材**：最終的な色調を微調整する陶材．さまざまな色調があり，陶材表面を着色する．

このほかにも**カラーレス**（ポーセレンマージン）の陶材焼付金属冠（陶材焼付鋳造冠）の辺縁部に築盛するマージン陶材や，極少量の不足を修正するためにつや出し焼成（グレージング）時に使用する修正用（リペア）陶材，つや出し焼成時に粗糙な陶材表面を滑沢にする場合に使用するグレージングパウダーなどがあり，その構成と名称はメーカーにより異なる．また，さまざまな歯の色に対応するため，各種の色調（シェード）が用意されている．

2）陶材の築盛方法

再現する基本的な色調は，**シェードガイド**という色見本を用いて，修復する周囲の歯の色調と比較し決定される．多種多様な陶材からどの粉末を選択するかは，そのシェードガイドをもとに陶材の**カラーテーブル**を参照する（図 5-195）．

図 5-196 に陶材の築盛に使用する器具を示す．築盛に際してはまず，陶材の粉末を蒸留水（専用液）で練和する．この作業はガラス練板上で行い，練和後，ハンマーなどで振動を与えて脱泡する．その後，ティッシュペーパーで余分な水分をとり，築盛に最適な水分量に調整する．築盛は筆またはスパチュラを用いて行うが，筆先を蒸留水で濡らして整え，適宜陶材をすくい取りながら行う．陶材は焼成により収縮するので，築盛にあたっては注意が必要である．築盛時の注意点は以下のとおりである．

①粉塵の飛散していない綺麗な部屋で行う．

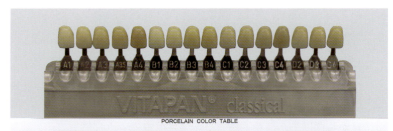

図 5-195　シェードガイド（上）と陶材のカラーテーブル（下）

図 5-196　陶材の築盛に使用する器具

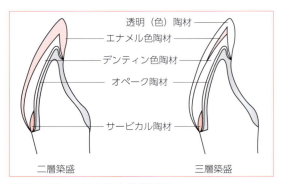

図 5-197　陶材の基本的築盛法

②適切な**コンデンス**を行う．

③陶材の水分量を一定に保つ．

以下，各種陶材の基本的な築盛方法を示す（図 5-197）．

（1）オペーク陶材

金属との結合を考え，初回は十分にコンデンスを行う．金属色を完全に遮断すると同時に，可及的に薄い層となるよう数回に分けて築盛，焼成する．

（2）オペークデンティン（サービカル）色陶材

オペーク陶材焼成後，歯頸部から歯冠の 1/4 ぐらいまでの範囲を，切縁方向に向かって移行的に築盛，焼成する．

（3）デンティン（ボディ）色陶材

一度最終的な形態，大きさに築盛する．コンデンス後，切縁部から歯冠の2/3ぐらいまでの範囲で移行的に**カットバック**を行い，切縁部に指状構造を付与する．

（4）エナメル（インサイザル）色陶材

切縁から歯冠の1/3の範囲を徐々に薄くなるように築盛する．二層築盛の場合は唇側全体に最終的な大きさまで築盛する．

（5）透明（トランスルーセント）色陶材

切縁から歯頸部にかけて唇側全体に築盛する．陶材の焼成収縮を考え，少し大きめに築盛する．

（6）着色用（ステイン）陶材

つや出し焼成前に記録した色調と比較し，必要な色調を塗布する．焼成はつや出し焼成と兼ねる．

3）コンデンスの意義

コンデンスとは，水分を含んだ陶材に振動を与えることで陶材粒子間の空隙をなくし，凝集させる作業をいう．目的は以下のとおりである．

①焼成による焼成収縮を少なくする．
②焼成後の陶材の強度を高める．
③陶材中への気泡の混入を防止し，透明度を高める．

コンデンスには**振動法**，**スパチュラ法**，**軽打法**などがあるが（『歯科理工学』参照），現在，臨床では振動法が一般的に用いられており，ハンマーや筆の柄で作業用模型または鉗子をたたいて振動を与える方法や（図5-198），レクロン刀に付与されている凹凸でこすって振動を与える方法（図5-199），超音波振動器を用いて振動を与える

図5-198　ハンマーを用いたコンデンス

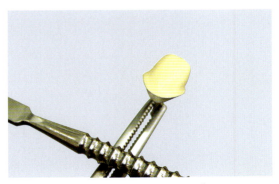

図5-199　レクロン刀を用いたコンデンス

図 5-200　コンデンスに用いられる超音波振動器

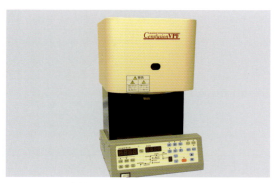

図 5-201　陶材の焼成に用いられる焼成炉. さまざまな焼成スケジュールがプログラムできる

表 5-5　金属焼付用陶材の焼成スケジュール例

大気焼成□　　　真空焼成■

焼成の種類	炉口・乾燥・予熱	焼成スケジュール	係留時間
熱処理 （メタルフレーム）	なし	800℃　　　1,000℃ 800℃　　　1,000℃	5〜10分 5〜10分
オペーク陶材［1次］	1〜3分	650℃　　　940〜950℃	0〜1分
オペーク陶材［2次］	1〜3分	650℃　　　940〜950℃	0〜0.5分
オペークデンティン色陶材 デンティン色陶材 エナメル色陶材 透明（色）陶材	5〜7分	650℃　　　910〜930℃	0〜0.5分
修正焼成	5〜7分	650℃　　　900〜920℃	0〜0.5分
つや出し焼成	5〜7分	650℃　　　900〜920℃	0〜0.5分

［昇温速度：50〜60℃／分］

　　　方法（図 5-200）などがある. 過度なコンデンスは下地との分離や築盛構造の崩れ，形態の変形を引き起こすことがあるので注意が必要である.

4）陶材の焼成

　　　陶材を焼成すると，粉末粒子の表面が融解し，各粒子が互いに融着することでガラス質の焼結体となる. 焼成には**陶材焼成炉（ポーセレンファーネス，図 5-201）**が用いられるが，その焼成温度はオペーク，デンティン，エナメルなど陶材の種類によっ

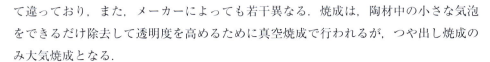

て違っており，また，メーカーによっても若干異なる．焼成は，陶材中の小さな気泡をできるだけ除去して透明度を高めるために真空焼成で行われるが，つや出し焼成のみ大気焼成となる．

　表5-5に陶材の焼成スケジュール例を示す．

　陶材のつや出しは，金属やレジンのように研磨によって行うのではなく，焼成（つや出し焼成）によって行う．その方法には，グレージングパウダー（いわゆるうわ薬）を使用する方法と，使用しない方法（セルフグレージング）がある．グレージングパウダーを使用しないセルフグレージングでも，陶材をもう一度焼成温度まで加熱することで，陶材内部のフラックスが表面に浮き上がり，光沢のある面を得ることができる．一方，陶材の表面の傷が深い，または粗糙な場合には，通常のセルフグレージングの焼成温度よりさらに高温にしなければ光沢のある面が得られないため，グレージングパウダーを使用する方法が用いられる．

20 クラウンの不具合の原因

1）クラウンが適合不良になる原因

　クラウンが適合不良になる原因は，歯科診療サイドにある場合と歯科技工サイドにある場合がある．

（1）歯科診療サイドにおける原因
①支台歯形成の不備：支台歯には，適切な軸面・咬合面・辺縁部の形態や隅角部の丸み，対合歯とのクリアランスなどが求められる．支台歯形成の不備は，印象の変形やクラウンの適合不良などにつながる．
②印象採得の不備：印象の変形や不明瞭な印象などがある．
③プロビジョナルレストレーションの不備：プロビジョナルレストレーションが装着されていなかったり，破損・脱離などによって放置されたままになると，支台歯の破折や移動，対合関係や隣在歯との位置関係にくるいが生じ，最終的なクラウンの装着が困難となる．

（2）歯科技工サイドにおける原因
a. 作業用模型製作時に生じる原因
①石膏操作の不備：不正確な混水比や練和不足，注入時の気泡の埋入（図5-202～204）などがある．
②界面活性剤の残存：印象材表面と模型材のぬれをよくし，気泡の埋入を防ぐために印象には界面活性剤を塗布するが，塗布後に乾燥させないで液が残留していると，石膏硬化時に表面性状が劣化する．

図 5-202　模型の気泡①
印象への石膏注入時の気泡の埋入.

図 5-203　模型の気泡②
石膏練和時の脱泡不足による模型の気泡.

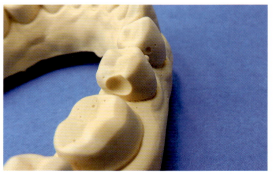

図 5-204　模型の気泡（隣在歯）
石膏を一塊に流し込んだときに発生する大きな気泡.

図 5-205　印象材の模型への埋入
印象採得時の印象面がはがれた状態で石膏を注入したときに起こる不明瞭な石膏表面.

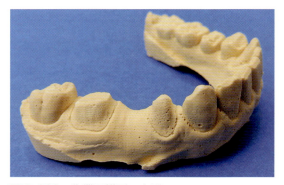

図 5-206　作業用模型の変形
一次石膏が薄いと，作業用模型製作時に二次石膏の膨張により一次石膏が変形する.

図 5-207　分割時のチッピング
石膏鋸を無理に挿入したり，摩擦に逆らって動かすと石膏が割れる．フィニッシュラインに注意をはらう.

③印象材の一部剥離による模型の再現性低下（図 5-205）
④作業用模型の変形（図 5-206）
⑤分割操作による歯型の破損（図 5-207）

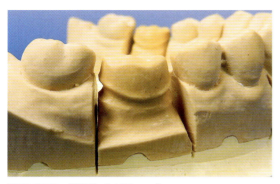

図 5-208　適切なトリミング
ワックスパターン形成がしやすいように，余剰の石膏が
除去された状態.

図 5-209　過剰なトリミング
ワックスパターン形成がしにくくなり，作業中にマージ
ンが欠けたり，歯型が折れるおそれがある.

図 2-210　ワックスパターン内面のしわ
適正にワックスパターン形成がされていない．ワックス
の盛り上げ時の融解不足から生じる.

図 5-211　ワックスパターン撤去時の変形
スプルー線をもってワックスパターンを撤去すると，変
形につながる.

**図 5-212　埋没時の気泡の混入による
金属冠内部の突起**
真空練和後も脱泡を行い，埋没材の気泡を
完全に取り除く必要がある.

⑥歯型トリミング時の不備：クラウン辺縁部より下の形態が天然歯歯根の形態と近
似していれば辺縁付近の豊隆を歯根部と移行的にできるが（図 5-208），トリミ
ングの不足や過剰（図 5-209）があるとクラウン辺縁部の破折や摩耗につながる.

b. 製作過程で生じる原因

①ワックスパターン形成時の不備：内面のしわ（図 5-210），隣接面の変形，咬合

面収縮による辺縁の浮き上がり，辺縁の不良，歯型から撤去するときの変形（図5-211）などがある．

②埋没時の不備：埋没時の気泡埋入（図5-212）やリングライナーの条件，埋没材の種類に注意する（『歯科理工学』参照）．

③鋳造時の不備：鋳型温度，鋳込み温度，鋳型の冷却法，鋳肌あれなどに注意する（『歯科理工学』参照）．

2）クラウンの咬合が高くなる原因

クラウンの咬合が高くなる原因は，歯科診療サイドにある場合と歯科技工サイドにある場合がある．

（1）歯科診療サイドにおける原因

①印象採得の不備

②咬合採得の不備

③プロビジョナルレストレーションの不備

（2）歯科技工サイドにおける原因

a．作業用模型製作時に生じる原因

①石膏操作の不備：石膏注入時の気泡の埋入などがある．

②作業用模型の変形

③気泡：印象採得時に埋入された気泡が作業用模型上において突起として表れる場合があるので，調整が必要となる．未調整のまま咬合器装着を行うと，正確な咬合関係が再現されないばかりでなく，製作したクラウンの咬合が高くなる．

b．咬合器装着時に生じる原因

①咬合器の機構による下顎運動の再現性の差

②咬合器装着方法の違い

c．製作過程で生じる原因

①ワックスパターン形成時の不備：咬合関係が不良になる場合がある．

②埋没時の不備：埋没時の気泡埋入に注意する．

歯冠修復物と部分被覆冠

到達目標

① 部分被覆冠の種類と特徴を列挙できる.

1 インレー，アンレー，エンドクラウン

1) 意義，特徴，適応用途

歯の外傷や齲蝕による歯冠の部分的な疾病に対して，疾病部分を含む周辺部位を修復する目的に応じた形態に形成し，修復操作がしやすいようにした部位を窩洞という．窩洞には部位によりさまざまな名称や治療方法としての決まりがある．この**窩洞**に適合する形態に，金属，レジン，陶材などを製作して装着する方法をインレー修復とよび，装着するものをインレー体とよぶ（図6-1）.

実質的に窩洞の大きさは，齲蝕の大きさや歯を力学的に保護する必要性など，さまざまな理由によって変化する．窩洞形態は，単純に唇側面や舌側面のこともあれば，咬合面の裂溝に限局されたりもする．窩洞の形態が大きくなり，装着物が咬頭頂を超えて咬合面を被覆するようになった場合は，**アンレー**とよんで区別する.

インレー・アンレーの特徴としては，以下の項目が挙げられる.

①歯の部分的欠損のみに応用される.

②歯の切削量が少ない.

③歯冠部の窩洞に装着されるので，辺縁の処理が容易である.

④辺縁の適合性を高めて，歯質を保護することができる.

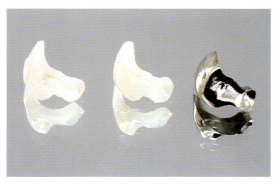

図6-1　各種インレー
左：ポーセレンインレー，中：コンポジットレジンインレー，右：メタルインレー

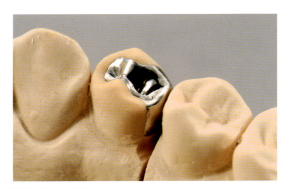

図 6-2　メタルインレー

図 6-3　ワックスパターンへのスプルー線の植立
隣接面に植立.

図 6-4　ワックスパターンへのスプルー線の植立
咬合面に植立.

図 6-5　ワックスパターンへのスプルー線の植立
咬合面と辺縁隆線の 2 カ所に植立. この方法はワックス
パターンの変形を少なくする.

⑤金属では，機械的抵抗力が大きいため，ブリッジの支台装置としても応用できる.

2) メタルインレー，アンレー

インレーは使用する材料によって窩洞形態や製作工程が異なっている.

メタルインレーは鋳造や切削加工などによって製作されるが，印象方法や作業用模型の製作方法などは一般の歯冠修復物の場合と同様である（図 6-2）. 金属によって製作されているため，全部金属冠と同様に強度的には優れているが，審美的には劣る治療方法である. 鋳造に必要なスプルー線の植立についての例を図 6-3〜5 に示す. 臨床では，植立時のインレー体の変形を防ぐため，また研磨の効率性を考えて，細いスプルー線を使用したり，湯道を傷つけないような工夫が必要である. なお，かつては，鋳造された金属を装着するのではなく，金箔を積層充填する方法も用いられていた.

ほとんどのインレー修復は鋳造法により製作されたメタルインレーだが，審美性が重視されるようになってきた現在では，歯冠色のさまざまなインレーが多用されるようになっている.

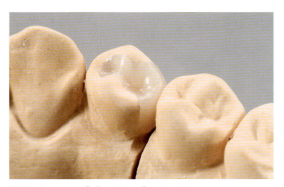

図 6-6 コンポジットレジンインレー

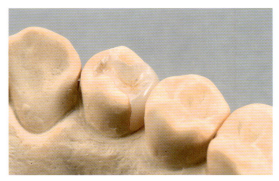

図 6-7 ポーセレンインレー

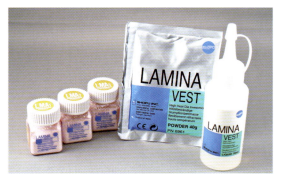

図 6-8 ポーセレン用耐火模型材
耐火模型を製作するための模型材と陶材.

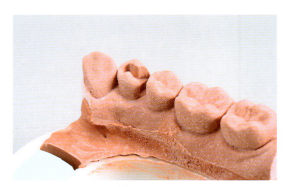

図 6-9 耐火模型の製作
複印象によって製作した耐火模型.

3) コンポジットレジンインレー，アンレー

　　　外観に触れる部分の窩洞に対して，コンポジットレジンで製作したインレーを接着する方法である（図 6-6）．印象に模型材として石膏を注入し，作業用模型上の窩洞に直接レジンを築盛して硬化させる．歯質の欠損が小範囲のものに限られる.

　　　アンレーをコンポジットレジンなどの歯冠色材料で製作する場合には，機械的強度を確保するために咬合面部の厚みが必要である.

4) ポーセレンインレー，アンレー

　　　外観に触れる部分の窩洞に対して，陶材（ポーセレン）で製作したインレーを接着する方法である（図 6-7）．複印象に模型材として耐火模型材を注入し，耐火模型上の窩洞に直接陶材を築盛して焼成する（図 6-8〜11）．歯質の欠損が小範囲のものに限られる.

　　　アンレーを陶材でつくる場合も，咬合面部に厚みが必要である.

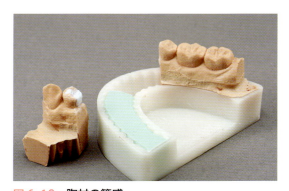

図 6-10　陶材の築盛
耐火模型上に直接陶材を築盛する.

図 6-11　形態修正・つや出し焼成
耐火模型上で形態修正後，必要に応じて着色用陶材で色
調を調整し，つや出し焼成を行う.

5）窩洞形態と構成要素

歯質の欠損の程度と部位によって，形成される窩洞は分類される.

（1）歯面の数による分類

①**単純窩洞**：窩洞が 1 歯面に限局しているもの. 咬合面窩洞などといわれる（図 6-12）.

②**複雑窩洞**：窩洞が 2 歯面以上にわたるもの. 近心咬合面窩洞，頬側咬合面窩洞などがある（図 6-13）.

（2）窩洞の形態による分類

①**内側性窩洞**：歯質のなかに掘り込まれ，修復物が歯質で囲まれている窩洞をいう. 後述のブラックの分類の Ⅰ 級，Ⅲ 級および V 級がこれにあたる.

②**外側性窩洞**：歯質が修復物で包まれるような窩洞をいう. 歯冠を被覆しないため，ピンやグルーブなど補助的な保持形態をつける必要がある. ブラックの分類のⅣ級とⅥ級がこれにあたる. なお，ブラックの分類のⅡ級は内側性と外側性の要素を併せもつ窩洞である.

（3）ブラックの分類

G. V. Black は，19 世紀末から 20 世紀初頭にかけて，窩洞に必要とされる要件の分析や分類を行った. ブラックの窩洞分類は現在も用いられている.

①**Ⅰ級窩洞**：前歯部の舌側や臼歯部の小窩・裂溝にある窩洞をいう（図 6-14, 15）.

②**Ⅱ級窩洞**：臼歯部隣接面にある窩洞をいう（図 6-16）. ただし，臼歯部隣接面の窩洞は咬合面まで窩洞を拡大しなければならないため，形態としては隣接面，咬合面の 2 歯面にわたる複雑窩洞となる.

③**Ⅲ級窩洞**：前歯の隣接面における窩洞をいう（図 6-17）.

図 6-12　単純窩洞

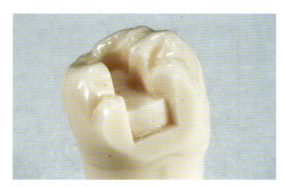

図 6-13　複雑窩洞

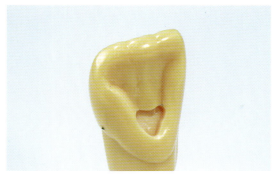

図 6-14　Ⅰ級窩洞（前歯）

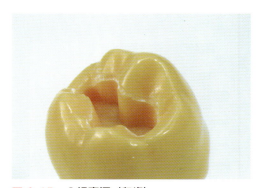

図 6-15　Ⅰ級窩洞（臼歯）

図 6-16　Ⅱ級窩洞

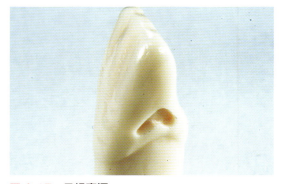

図 6-17　Ⅲ級窩洞

④**Ⅳ級窩洞**：前歯の隣接面と切縁隅角を含む窩洞をいう（図 6-18）.

⑤**Ⅴ級窩洞**：唇側面，頬側面，舌側面の歯頸部付近の窩洞をいう（図 6-19, 20）.

⑥**Ⅵ級窩洞**：前歯切縁および臼歯咬頭頂の窩洞をいう（図 6-21, 22）. G.V. Black はⅠ～Ⅴ級までの分類をしたが，その後，Davis がこの窩洞を追加した. このため，デイビスの窩洞とよばれることがある.

図 6-18　Ⅳ級窩洞

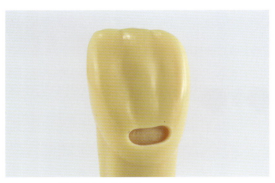

図 6-19　Ⅴ級窩洞（前歯）

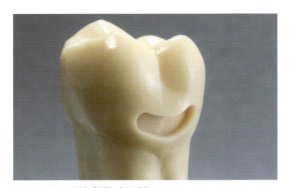

図 6-20　Ⅴ級窩洞（臼歯）

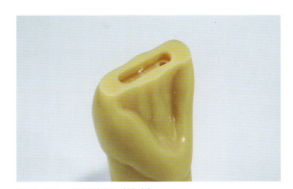

図 6-21　Ⅵ級窩洞（前歯）

（4）窩洞の構成要素

窩洞は窩壁，窩縁，隅角によって構成される．

a. 窩壁

窩洞各部を構成する壁を**窩壁**という（図 6-23）．各壁の名称は，その壁が近接する歯面の名称を付していう．窩洞の底面は**窩底**という．

b. 窩縁

窩壁と歯の表面によってできる縁を**窩縁**という（図 6-24）．インレーでは，窩縁の形態は辺縁の封鎖にとって重要である．メタルインレーでは，使用する金属の**縁端強度**（辺縁の強さ）によって窩縁の傾斜角度を変える．コンポジットレジンインレー，ポーセレンインレーでは，コンポジットレジンや陶材の縁端強度がきわめて低いため窩縁に傾斜をつけない．

c. 隅角

2つ以上の窩壁の接するところにできる角を**隅角**という．相接する窩壁の数により次の2つに分類する（図 6-24）．

①**線角**：2つの窩壁が接してできる線状の隅角を線角という．

図 6-22　Ⅵ級窩洞（臼歯）

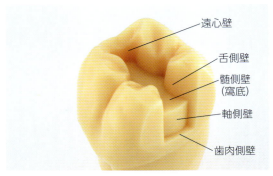

遠心壁
舌側壁
髄側壁
（窩底）
軸側壁
歯肉側壁

図 6-23　Ⅱ級窩洞の窩壁の名称

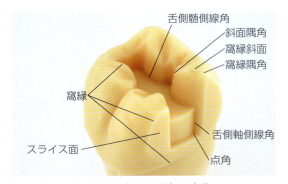

舌側髄側線角
斜面隅角
窩縁斜面
窩縁隅角
窩縁
舌側軸側線角
スライス面
点角

図 6-24　Ⅱ級窩洞の窩縁と隅角の名称

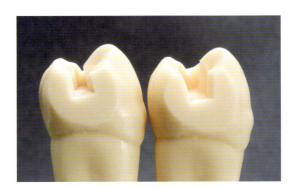

図 6-25　インレー窩洞の基本的形態
箱形（左）と外開き形（右）

②**点角**：3つ以上の窩壁の接するところにできる点状の隅角を点角という.

d．インレー窩洞の基本的形態

　①**箱形**：平行な各壁と，それに直角な底面とからなる箱型の形態をいう．窩洞の最も基本的な形態である（図 6-25）.

　②**外開き形**：箱形を基本形にして，対向する壁が窩縁に向かって開いている形態をいう（図 6-25）. これはインレーの着脱などを容易にする（便宜を与える）という意味で，**便宜的形態**という.

6）エンドクラウン

　臼歯部Ⅳ級窩洞（図 6-22）に対応する修復物はアンレーとよばれるが，失活歯において窩洞が歯冠部歯髄腔の範囲まで形成された場合（図 6-26），製作後の歯冠修復物はエンドクラウンとよばれる. すなわち，エンドクラウンは臼歯アンレーと継続歯（ポストクラウン）の中間的構造を呈する. エンドクラウンは，光学印象と切削加工の組み合わせで製作することが前提であるため，支台歯，窩洞にあたる部分の形成，クラウンの設計など，鋳造体の製作とは異なる技術が要求される.

図 6-26　エンドクラウンの支台歯形態

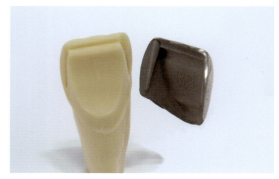

図 6-27　3/4 クラウン

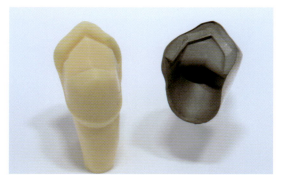

図 6-28　4/5 クラウン

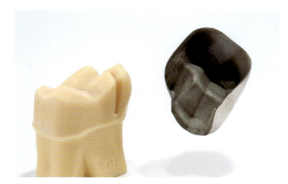

図 6-29　7/8 クラウン

2　3/4 クラウン，4/5 クラウン，7/8 クラウン

1）意義，特徴，適応用途

　　　歯冠の全周の面積のうち，どの程度を被覆するかで名称が異なる（図 6-27～29）．一般的には，審美性に関連した部分を残して支台歯形成を行う．

　　3/4 クラウンは歯冠部分の 3/4 が金属色であり，残りの 1/4（通常は唇側面）は天然歯質が残っている．切削されてない面は審美的な理由で残しているとされるが，現在では適合性を高めるのが難しいうえ，支台歯形成も技術が必要なため，次第に行われなくなっている方法である．全部被覆冠に比べ歯質の切削量が少ないので，生物学的には歯質を残すという点で意義がある．ただし，全部金属冠に比べて強度的に劣り，支台歯の被覆面積が少ないことから，脱離しやすいという欠点がある．このため軸壁以外には，補助的保持形態としてグルーブ（図 6-30～33）やボックスなどが付与される．

　　3/4 クラウンは前歯に応用され，4/5 クラウンは小臼歯，大臼歯に，7/8 クラウンは大臼歯（上顎第一大臼歯）に応用される（近心頬側面は天然歯質）．通常は単独の歯冠修復物として使用されるが，使用される金属に強度があればブリッジの支台装置としても応用できる．また，歯周疾患の連続的固定装置としても応用される．

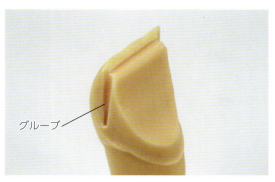

図 6-30 3/4 クラウンの支台歯形態（切歯）

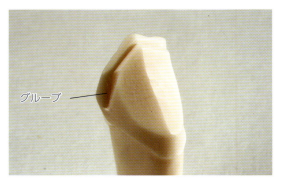

図 6-31 3/4 クラウンの支台歯形態（犬歯）

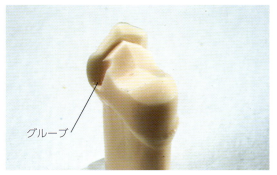

図 6-32 4/5 クラウンの支台歯形態（小臼歯）

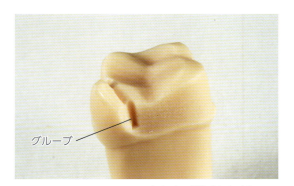

図 6-33 7/8 クラウンの支台歯形態（大臼歯）

2）支台歯形態

図 6-30～33 に示すように，それぞれに**支台歯形態**がある．全部金属冠と違い，軸壁を全周にわたって被覆していないため，支台歯のテーパーを小さくしなければならない．

3 プロキシマルハーフクラウン

1）意義，特徴，適応用途

主に，大臼歯部に応用される（図 6-34）．歯冠の近心面または遠心面のおよそ1/2を被覆し，咬合面は鳩尾形の保持形態をもつ窩洞によって保持される．プロキシマルは「隣接面の」という意味であるが，この語を省いて，単にハーフクラウンとよばれることもある．

形成された隣接面と頰側面，舌側面の約1/2の軸壁および隣接面の縦溝と咬合面の鳩尾形をしたインレー窩洞によって保持される．部分被覆冠とインレーの混合型と考えてよい．

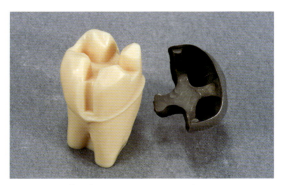

図 6-34　プロキシマルハーフクラウン

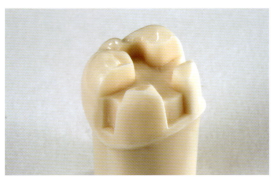

図 6-35　プロキシマルハーフクラウンの支台歯形態

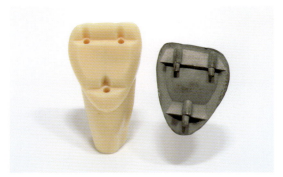

図 6-36　ピンレッジ

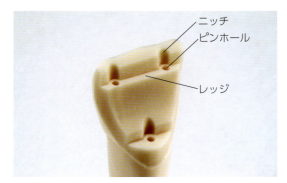

図 6-37　ピンレッジの支台歯形態

単独の歯冠修復物として用いられることはまれで，ブリッジの支台装置として用いられる．

2）支台歯形態

さまざまな形態が考案されているが，基本的なものを図 6-35 に示す．

4　ピンレッジ

1）意義，特徴，適応用途

前歯部の有髄歯に用いられる部分被覆冠である（図 6-36）．歯質内に挿入される**ピン（小釘）**によって保持される金属歯冠修復物を総称してピンレッジとよんでいる．ピンレッジという名称は，本来，保持形態そのものの名称であるが，現在ではこの保持方法を用いた前歯部のクラウンをピンレッジとよんでいる．

歯質内に挿入されるピンに保持力のほとんどを頼っているため，ピンの深さ，太さ，位置などが重要である．また，ピンに大きな力が加わるため，無髄歯のように弾力性を失った歯では，歯質の破折などを引き起こすことがある．前歯部有髄歯のみに用いることができ，単冠やブリッジの支台装置として用いられる．

2） 支台歯形態

前歯部ピンレッジの基本的支台歯形態を図 6-37 に示す.

基本的には，舌側面，切縁および両隣接面への移行隅角部を軽く切削し，舌側面に**ピンホール**，**レッジ**（棚），**ニッチ**（壁）を形成する．ピンホール，レッジ，ニッチをどの部位に設定するかによりいろいろな支台歯形態がある．ピンホール，レッジ，ニッチのどれかを省く場合もある.

5 ラミネートベニア

1） 意義，特徴，適応用途

ラミネートベニアとは，主に前歯唇側面の審美的修復を目的とした薄い板状の修復物である．ラミネートベニアに使用される材料としては，陶材（ポーセレンラミネートベニア）が主である.

ラミネートベニア修復では，基本的に唇側面のエナメル質の範囲内での支台歯形成とするため，全部被覆冠（陶材焼付金属冠，オールセラミッククラウン，レジン前装冠など）に比較して歯質削除量が少ない．そのため，健全歯質を可及的に保存しつつ，審美的な処置が可能となる.

ラミネートベニア自体の強度は低く，かつ保持が不十分なため，レジン系装着材料によるラミネートベニアと歯質との強固な接着が必須となる．そのためには，ラミネートベニアと歯質に対する適切な表面処理が必要である．ポーセレンラミネートベニアの表面処理としては，試適を終えた後，技工室で5〜10％のフッ化水素酸（HF）ゲルで1分間程度エッチング処理を行い，水洗し，さらに有機溶媒（メタノールあるいはアセトン）で超音波洗浄を行う．表面を乾燥後，シラン処理を施す．支台歯形成面はエナメル質であるため，37〜40％のリン酸ゲルで30秒程度のエッチング処理，その後ボンディング材の塗布を行う．これら表面処理後に，レジン系装着材料でポーセレンラミネートベニアを支台歯に接着する．ラミネートベニアは非常に薄いため，レジン系装着材料の色調によって，装着後のラミネートベニアの色調が影響される．その

表 6-1　ラミネートベニア修復の利点，欠点

利　点	欠　点
歯質削除量が少ない（全部被覆冠と比較して）	適応症が限定される
処置時に局所麻酔の必要がない	接着のみに維持を求める
歯髄に対する損傷が少ない	破折の危険性がある
歯周組織への影響が少ない	少なからず歯を切削する
二次齲蝕になりにくい	接着に関する知識，技術が必要である
アンテリアガイダンスを変化させない（上顎の場合）	

ため，使用するレジン系装着材料の色調選択に注意が必要である．

ラミネートベニアの適応症は，①エナメル質に限局した広範囲の齲蝕，②変色歯，③歯の形態異常，④歯間離開，⑤破折歯などである．一方，象牙質に達する齲蝕，エナメル質の接着面積が少ない，ブラキシズムなどが禁忌症となる．ラミネートベニア修復の利点，欠点を表6-1 に示す．ラミネートベニアは単冠のみの使用で，ブリッジの支台装置あるいは連結冠としては使用できない．

2）支台歯形態

支台歯形成はエナメル質内とすることが原則である．唇側面のみの歯質削除であり，削除量は0.5 mm 程度とする．辺縁形態はシャンファーとし，装着方向にアンダーカットが生じないようにする．咬合関係や審美性を考慮して，切縁を被覆する支台歯形成を行うこともある．

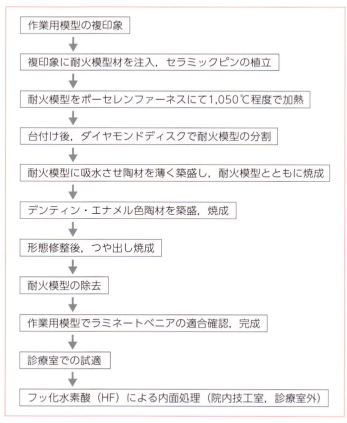

図 6-38　耐火模型法によるラミネートベニアの製作工程

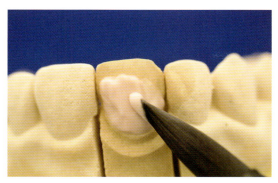

図 6-39　耐火模型への陶材の築盛

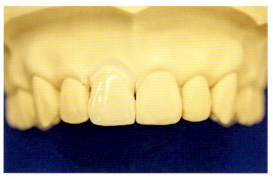

図 6-40　完成したポーセレンラミネートベニア

図 6-41　フッ化水素酸ゲルによるエッチング処理

3）製作上の注意点

　　陶材，加熱加圧型セラミックス，コンポジットレジンなどにより，薄いシェル状の
ラミネートベニアを製作するため，製作の工程においては，破折などに対する細心の
注意が必要である．耐火模型法による製作（図 6-38）における注意点としては，以下
の事項が挙げられる．

①作業用模型の複印象は精密印象法によって行う．

②耐火模型などの作業用模型の分割にはナイフやダイヤモンドディスクを用い慎重
　に行う．

③陶材築盛前の耐火模型に吸水させ，適度な水分を確保し，築盛を円滑に行うとと
　もに気泡の混入を防止する（図 6-39）．

④焼成速度は，ゆっくりと上昇させ，焼成中の陶材の破折を防止する．

⑤つや出し焼成完了後の耐火模型を除去する際は，辺縁の破折に注意する．

⑥作業用模型上で適合を確認し，調整が必要な場合はラミネートベニアの破折や不
　適合にならないよう慎重に行う（図 6-40）．調整後，歯科診療所に納品する．

⑦試適後，院内技工室において十分な換気の下で，ラミネートベニア内面に対して
　5〜10％のフッ化水素酸ゲルで 1 分間程度エッチング処理を行う（図 6-41）．

Column

フッ化水素酸（HF）による内面処理

　歯科診療所においては，ラミネートベニアの試適を行い，装着の直前に内面をフッ化水素酸（HF）ゲルで処理する．納品前に歯科技工所でHF処理を行ったとしても，模型表面への接触，試適時の歯面への接触などにより，処理面が汚染される．したがって，HF処理は外部の歯科技工所で行われる処理ではなく，試適後，院内技工室（あるいは診療室外の部屋）で行われる処理である．

　さらに，HFは口腔内に塗布するフッ素化合物（NaF，APFなど）と混同される危険性があり，エッチングという単語が歯質のエッチング処理と混同される可能性がある．したがって，**HFは絶対に診療室には持ち込まない**，という体制で使用すべき類の技工専用陶材エッチング処理剤である．なお，HFはジルコニア，アルミナなどへのエッチング効果はない．

4）使用材料

　ラミネートベニアには，陶材以外に，二ケイ酸リチウム含有セラミックスあるいは光透過性に優れたジルコニア（高透光性ジルコニア）が臨床で使用されている．

　二ケイ酸リチウム含有セラミックスを用いる場合は，加圧成形法またはCAD/CAM法で製作される．二ケイ酸リチウム含有セラミックスの主成分はシリカ（SiO_2）であり，ラミネートベニアの装着前には陶材と同様にフッ化水素酸による内面処理を行う．

　高透光性ジルコニアを用いてラミネートベニアを製作するには，CAD/CAMでの加工が必要である．高透光性ジルコニアのラミネートベニアの装着前には，内面に対してアルミナ粒子（粒径$50\sim110\,\mu m$）を用いたブラスト処理（圧力$0.2\,MPa$）を行う．

7 全部被覆冠

到達目標

① 全部被覆冠の種類と特徴を列挙できる.
② 前装部の形態と接着法を説明できる.
③ レジン前装冠を製作できる.
④ 陶材の築盛法を説明できる.
⑤ コンデンスの意義を述べる.
⑥ 陶材の焼成を説明できる.
⑦ 陶材の破折原因を説明できる.
⑧ 陶材焼付金属冠の製作法を説明できる.

1 全部金属冠

1) 意義, 特徴, 適応用途

　　全部金属冠は, 金属のみによって歯冠形態を回復する方法のうち最も基本的なものである. 歯冠部歯質の一部または大部分が齲蝕あるいはその他の原因によって欠損している場合に, 処置する歯冠のすべての面を形成して, 金属によって被覆し, 形態と咀嚼その他の生理的機能を回復する補綴装置をいう.

　　歯冠部すべての形態を回復するため, 自由に形態を付与することができる反面, さまざまな要件を満たさなくてはならない. 全部金属冠の要件は以下のとおりである.

　①形成面は, 必ず金属で被覆されている. 齲蝕や歯周疾患などの予防の観点から形成面の完全被覆は重要である. 適合がよいことはもちろん, 形成面は表面が粗糙であるため, 必ず被覆し表面性状を回復する.

　②咬合面の形態は下顎運動と調和している.

　③適正な歯冠**豊隆**(**カントゥア**) が付与されている.

　④解剖学的な歯冠形態を逸脱していない.

　⑤十分な強度と剛性を有する.

　⑥十分な保持力を有する.

　⑦良好な清掃性と自浄性を有する.

　⑧生体為害性のない材料を使用している.

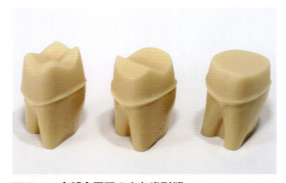

図 7-1　**全部金属冠の支台歯形態**
咬合面の形態には縮小型（左），逆屋根型（中），平面型
（右）がある.

⑨長期間にわたり，化学的に安定性の高い材料を使用している.
⑩適度な硬さを有する材料を使用している.

　全部金属冠は，単独の補綴装置やブリッジの支台装置として多く用いられ，歯冠のすべてを被覆するため，広い範囲に及ぶ歯質の欠損にも応用することができる. ただし，本来の歯冠が大きく欠損している場合には，支台築造の必要性も生じる. 金属は延性材料であるため，チッピングなどの心配が少なく，さまざまな症例に対応できるが，金属色であるがゆえに審美性に劣る. そのため，原則的には外観に触れる部位への使用は避ける.

2）支台歯形成

　支台歯の軸面は通常，約6°のテーパーをもたせる. 軸面への補助的保持形態としてグルーブやボックス，咬合面にはキャビティやピンホールなどを付与することがある. 咬合面形態としては，**縮小型**（多斜面型），**逆屋根型**，**平面型**などがある（図 7-1）. フィニッシュラインの形態は，一般にシャンファー形態が推奨される.

2 前装冠

1）意義，特徴，適応用途

　前歯が欠損すると咀嚼，発音機能のみならず審美性が失われるため，日常生活に大きな影響を及ぼす. 前装冠は外観に触れる部分を歯冠色材料により製作することで，口腔内の機能に加え，審美性を回復する歯冠修復物である.

　前装冠には**レジン前装冠**と**陶材焼付金属冠**があり，前装部にはレジンと陶材が使用される. これらはともに単体では脆い性質を有しているため，金属と併用することで咬合力に耐え得る強度と審美性を兼ね備えた構造となる（図 7-2〜4）. 一方，唇側，頬側に前装部の厚みが必要なため，全部金属冠に比べると歯質の切削量が多くなって

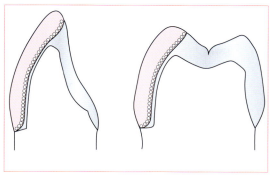

図 7-2　レジン前装冠（上顎前歯・上顎小臼歯）

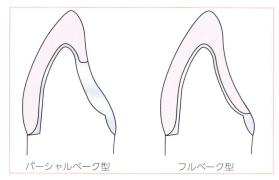

パーシャルベーク型　　　　　フルベーク型

図 7-3　陶材焼付金属冠（上顎前歯）

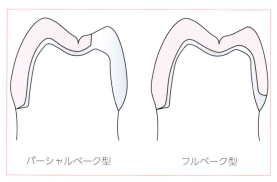

パーシャルベーク型　　　　　フルベーク型

図 7-4　陶材焼付金属冠（上顎小臼歯）

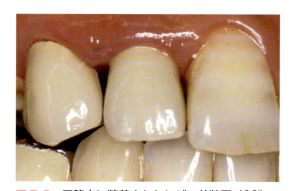

図 7-5　口腔内に装着されたレジン前装冠（<u>32</u>）

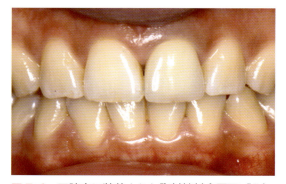

図 7-6　口腔内に装着された陶材焼付金属冠（<u>1</u>）

しまうという欠点も有している.

　適応は主に外観に触れる前歯部，小臼歯部と，大臼歯の一部である．装置としては，**単冠，ブリッジの支台装置，ポンティック，インプラント上部構造，テレスコープ義歯の外冠**などに用いられる（図 7-5, 6）.

2）支台歯形態

　レジンまたは陶材によって歯冠色を再現するためには，ある程度材料の厚みが必要

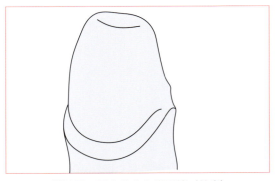

図 7-7　前装冠の基本的支台歯形態（前歯）

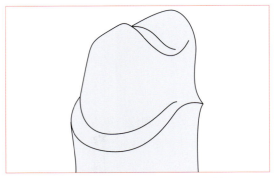

図 7-8　前装冠の基本的支台歯形態（臼歯）

となる．したがって，前装冠の支台歯形態は，全部金属冠とは異なって唇側または頬側部にメタルフレームと歯冠色材料のスペースを確保できる形態としなければならない（図 7-7, 8）．このため，支台歯の歯頸部辺縁形態も，厚みを確保することができる**ヘビーシャンファー**（シャンファーより深く削られた形態），**ラウンドショルダー**（rounded shoulder），または**ショルダー**などが用いられる．また，その厚みは，強度を確保するうえで最低必要な金属の厚み 0.3 mm を含め，レジン前装冠で 1.0 mm 程度，陶材焼付金属冠で 1.2 mm 程度は最低必要であるとされている．

3）レジン前装冠

（1）レジン前装冠の特徴

　レジン前装冠は，陶材焼付金属冠と比べて一般的に以下のような利点と欠点がある．

a．レジン前装冠の利点

　①適応できる金属の種類が多い．
　②築盛が容易で重合時間が短く，技工作業が簡便である．
　③重量が軽く，重合収縮などによる変形が少ない．
　④使用器材が安価である．
　⑤補修が比較的容易である．

b．レジン前装冠の欠点

　①前装部に機械的な維持装置が必要となる．
　②強度が劣るため前装範囲が限定されることがある．
　③経時的に摩耗，変色が認められる．
　④色素，デンタルプラークが付着しやすい．

（2）製作法

　レジン前装冠が口腔内で長期的に機能するためには，前装部の形態，維持装置，接

着技法などがポイントとなる（5章参照）.

鋳造によるレジン前装冠の製作手順は以下のとおりである.

①歯冠形態の**ワックスパターン形成**

②前装部の**窓開け**

③前装部への維持装置の付与

④埋没，鋳造，研磨

⑤メタルフレームの調整

⑥前装部の接着処理

⑦前装材築盛，重合

⑧前装部の形態修正

⑨研磨

これらの製作過程を，上顎中切歯のレジン前装冠を例に示す（図7-9～25）.

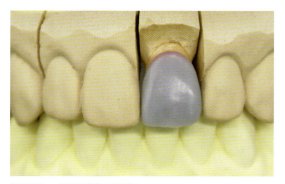

図7-9　歯冠形態の回復
歯冠形態をワックスで回復する．対合歯との咬合関係を考慮するとともに反対側同名歯と同じ形態とし，隣在歯など残存歯と調和させる.

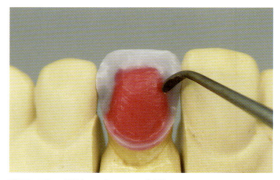

図7-10　前装スペースの窓開け
完成時に外観に触れる部分に金属の露出がないように前装スペースの窓開けを行う．また前装部のワックスは最低0.3mm程度確保する.

図7-11　リテンションビーズの付与
辺縁部を修正した後，リテンションビーズを付与する．このとき接着剤の塗り過ぎでビーズが埋まってしまい，アンダーカットがなくならないよう注意する.

図7-12　埋没
スプルー線植立後，円錐台に植立し埋没を行う．作業は鋳造冠と同じであるが，前装部はアンダーカットの中まで埋没材が入るよう慎重に行う．舌側歯頸部にはメタルフレーム保持用のリムーバルノブが付与してある.

図 7-13　鋳造

鋳造圧が低いとリテンションビーズが再現されないのでスプルーイング，鋳造方法に注意する．鋳造後はリテンションビーズが再現されているか否かを確認して次のステップに進む．

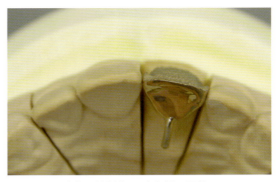

図 7-14　適合，接触部，咬合部の調整

鋳造後，歯型への適合を行い，隣接面接触部，舌側面咬合部の調整を行う．その後，前装部以外の金属面を中研磨する．

図 7-15　前装部辺縁の調整

レジン前装後にリテンションビーズが露出しないように辺縁のリテンションビーズを削除する．また金属がみえないように辺縁部先端を調整する．

図 7-16　前装部のアルミナブラスト処理

接着表面の清掃と接着面積の拡大のため，50〜70 μm のアルミナでブラスト処理を行う．アルミナは切削力が高いので，辺縁部の薄いところは注意が必要である．

図 7-17　金属接着プライマー

ブラスト処理後，エアでアルミナ粉末を除去し，金属接着プライマーを塗布する．接着面に唾液，脂質などの接着阻害因子が付着すると接着効果が低下する．

図 7-18　オペークレジンの塗布

オペークレジンを筆で塗布する．必要以上に厚くならないように注意するとともに，確実に金属色を遮断する．そのため，塗布，重合を数回繰り返す．重合は専用の光重合器を使用する．

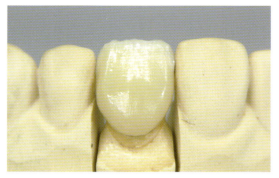

図 7-19　デンティン色レジンの築盛
サービカル色レジンの築盛，重合後，デンティン色レジン
を築盛する．歯冠の歯頸部寄り約 2/3 は最終的な豊隆と
同一とし，切縁にかけて徐々に薄くなるように築盛する．

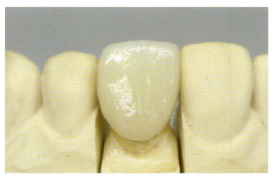

図 7-20　エナメル色レジンの築盛
歯冠の切縁寄り 1/3 に薄くエナメル色レジンを築盛す
る．形態修正，研磨分を考慮し若干大きめに築盛する．

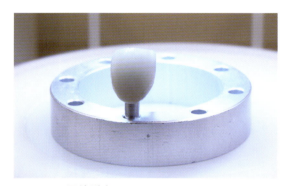

図 7-21　最終重合
歯型から取り出して隣接部を追加・修正した後，光重合
器で最終重合を行う．

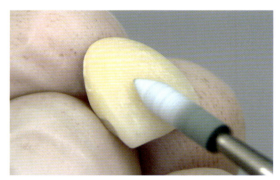

図 7-22　前装部の形態修正
カーボランダムポイントなどを用いて前装部の形態修正
を行う．このとき，前装部を越えて金属を覆っているレ
ジンも慎重に削合する．形態修正後，シリコーンポイン
トなどで前装部を研磨する．

図 7-23　研磨
レジンの研磨後，金属部の最終研磨を行い，豚毛ブラシ
などで仕上げ研磨を行う．

図 7-24　完成した⌊1 のレジン前装冠（唇側面）

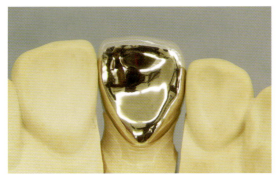

図 7-25　同舌側面

4）陶材焼付金属冠

（1）陶材焼付金属冠の特徴

陶材焼付金属冠は，レジン前装冠と比べて以下のような利点と欠点がある.

a. 陶材焼付金属冠の利点

①強度や耐摩耗性に優れ，金属の露出を可及的に少なくできる.

②切縁付近に金属がないため，色調の再現に有利である.

③色素やデンタルプラークが付着しにくく，歯周組織への為害作用が少ない.

④吸水性がほとんどなく，色調が安定している.

b. 陶材焼付金属冠の欠点

①技工作業が煩雑で高度な技術を要する.

②高価な設備を必要とする.

③大型なものは重く，焼成収縮により変形することがある.

④過大に負荷がかかる部分は破折しやすい.

（2）製作法

陶材焼付金属冠の製作においては，陶材のクラックや剝離，気泡の発生が起こることがある. これらの問題は金属に起因することが多い.

陶材焼付用合金は金や白金の含有量により貴金属，準貴金属，非貴金属に分けられるが，陶材との熱膨張率が異なると陶材側に応力が加わり，クラックや剝離の原因となる. また，非貴金属は結合面の酸化膜が厚いため焼付強さの信頼性に欠ける. このため，製作にあたっては，金属の選択に十分注意する必要がある. さらに，熱膨張率が近似していても焼成収縮により応力が発生するため，メタルフレームの形態も考慮しなければならない（図 7-26）.

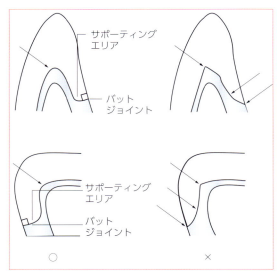

図 7-26　メタルフレームの具備形態
曲面形態に仕上げ，サポーティングエリアとバットジョイントの形態を与える.
バットジョイント（butt joint）：金属と陶材の移行部断面が互いに鋭角とならず，ほぼ直角（図中正方形）の構造で突き合わせ接合している状態. 英単語の butt に，頭突き，正面衝突という意味がある.
サポーティングエリア（supporting area）：機械的維持の範囲を示す単語で，陶材が金属から脱離する方向に対するアンダーカットの部分をサポーティングエリアという.
メタルフレームの切縁部にはなだらかな斜面を付与する. この構造により，陶材が切縁部で破折，剥離することを防止する. さらに，メタルフレームは全体的に曲面とし，鋭利部分での破折，剥離を防止する.

陶材焼付金属冠（陶材焼付鋳造冠）の製作手順は以下のとおりである.

①歯冠形態のワックスパターン形成

②前装部の窓開け

③埋没，鋳造

④メタルフレームの調整

⑤加熱処理（**ディギャッシング**）

⑥陶材の築盛，焼成

⑦前装部の形態修正

⑧**ステイニング，つや出し焼成**

⑨金属部の研磨

これらの製作過程を，上顎中切歯の陶材焼付金属冠を例に示す（図 7-27〜43）.

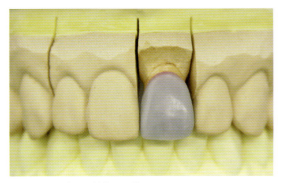

図 7-27　歯冠形態の回復
歯冠形態をワックスで回復する. 対合歯との咬合関係を考慮するとともに，反対側同名歯と同じ形態とし，隣在歯など残存歯と調和させる. また前装スペースの確認用に唇側面コアを技工用シリコーンで採得しておく.

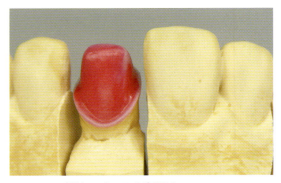

図 7-28　前装スペースの窓開け
陶材の厚みが均一となるように前装スペースの窓開けを行い，先に採得した唇側面コアで確認する. 陶材に部分的応力が加わらないように，前装部には角をつくらないようにする.

図 7-29　埋没
舌側にリムーバルノブを付与し，スプルー線植立，埋没を行う．陶材焼付用合金の融点は高いため，埋没にはリン酸塩系埋没材を使用する．また鋳造には遠心鋳造法や吸引・加圧鋳造法が用いられる．

図 7-30　模型への適合
鋳造後，歯型での適合を確認する．鋳造での鋳込み不足を防止するため，唇側部は 0.3 mm より薄くなりすぎないようにし，辺縁部も若干厚くしている．

図 7-31　メタルフレームの調整
タングステンカーバイドバーを用いて前装部の厚みを調整する．穴が開かないようメジャリングディバイスで厚みを確認しながら行う．また辺縁部先端の厚みは可及的に 0 mm に近づける．

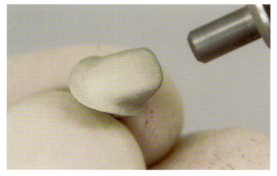

図 7-32　アルミナブラスト処理
陶材とのなじみをよくするとともに機械的な嵌合力を増すため，ブラスト処理を行う．辺縁部などメタルの薄いところは圧力や距離，方向に注意して行う．

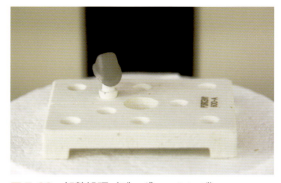

図 7-33　加熱処理（ディギャッシング）
超音波洗浄後，加熱処理（ディギャッシング）を行う．これは焼付面に残留している汚物を除去するとともに，陶材との結合に有効な酸化膜を生成するためである．加熱スケジュールは金属の使用説明書に従う．

図 7-34　酸性溶液による超音波洗浄
不必要な酸化膜を除去するため酸を含む溶液で超音波洗浄を行う（酸処理）．その後，2 回目の加熱処理を行うが，使用する溶液によっては有害であるため，このステップを省く金属もある．

図 7-35　オペーク陶材の築盛①
1回目のオペーク陶材を築盛する．金属との結合を考え薄く均一に築盛し，金属表面の微細な凹凸に嵌合するよう十分にコンデンスを行う．

図 7-36　オペーク陶材の築盛②
オペーク陶材の築盛，焼成を数回繰り返し，必要最低限の厚みで金属色を遮断する．辺縁部先端は特に厚くならないよう注意する．

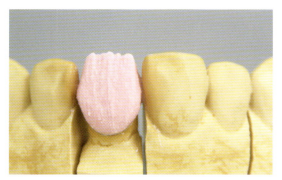

図 7-37　デンティン色陶材の築盛
デンティン色陶材を最終的な歯冠形態に築盛してコンデンスを施す．その後，築盛用のナイフや筆を用いて象牙質のような形状に整える．この形状は使用する陶材の説明書を参照する．

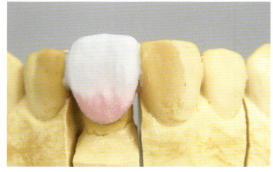

図 7-38　エナメル色陶材の築盛
デンティン色陶材築盛後，エナメル色陶材を築盛し，必要な場合は透明（色）陶材も築盛する．焼成収縮分を考慮して大きめに築盛しなければならない．

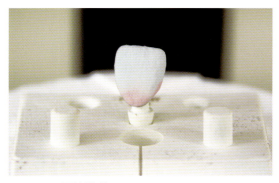

図 7-39　最終焼成
歯型から取り出し隣接部に収縮分を追加した後，形が崩れないように最終コンデンスを行う．その後，陶材焼成炉での最終焼成となるが，各陶材の焼成にあたってはメーカー指定のスケジュールで行う．

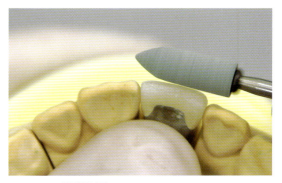

図 7-40　形態修正
焼成後，隣接面接触部と咬合部の調整をして陶材部の形態修正を行う．修正後はペーパーコーンやシリコーンポイントなどで深い傷を除去しておく．

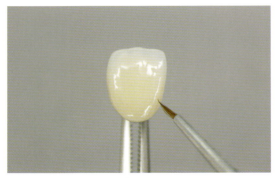

図 7-41　ステイニングとつや出し
超音波洗浄後，ステインの液を表面に塗布し，色調を確
認する．修正が必要な場合は着色用陶材を塗布し，つや
出し焼成を行う．

図 7-42　完成した ⌊1 の陶材焼付金属冠（唇側面）

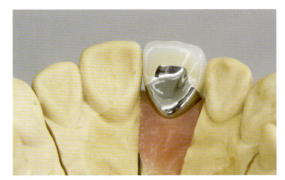

図 7-43　同舌側面

3 ジャケットクラウン

1）意義，特徴，適応用途

　ジャケットクラウンとは，金属を使用しないで単一の歯冠色材料のみで歯冠部のす
べてを被覆する修復物で，主として前歯部や小臼歯部の比較的強度を必要としない部
位に用いられる．ジャケットクラウンにはすべてポーセレンで製作されたポーセレン
ジャケットクラウン（陶材ジャケットクラウン）とレジンで製作されたレジンジャケ
ットクラウンがある．最近では，ガラスフィラーの含有量が多いコンポジットレジン
で製作されることが多く，硬質レジンジャケットクラウンからコンポジットレジンジ
ャケットクラウンとよばれる．従来のレジンで製作されたジャケットクラウンはプロ
ビジョナルクラウンとして用いられることが多い．

　金属を全く使用しないために，優れた審美修復物であるが，前装冠に比較して強度
的には劣るため，クラウンの厚みを増す必要がある．したがって，支台歯形成におい
ては，咬合面クリアランスを多めにとり，マージン部はショルダータイプに仕上げ厚

みを確保する必要がある.

(1) 適応症
 ①広範囲の齲蝕症
 ②変色歯
 ③エナメル質形成不全歯
 ④形態異常歯
 ⑤外傷による破折歯
 ⑥金属アレルギーを有する患者

(2) 禁忌症
 ①咬合面のクリアランスが少ない症例
 ②支台高径が確保できない症例
 ③ブラキシズムの患者
 ④若年者で歯髄腔の大きな患者

2) 支台歯形態

　　ポーセレンジャケットクラウンおよびレジンジャケットクラウンともに支台歯形態はほぼ同様で, 歯頸部のマージン形態はショルダーに形成され, その厚みは0.8～1.0 mm で, 軸面のテーパーはクラウンの維持力を考慮して約6°とする. 舌側軸面は可及的に高さを確保し, 切縁部は45°の角度で斜めに形成する. クラウンの応力集中を避けるために各隅角部は丸みをもたせるように仕上げる.

3) レジンジャケットクラウン

　　機械的強度が大きく, 口腔内で耐久性のあるコンポジットレジン材料が開発され, 間接修復用コンポジットレジンとしてレジンジャケットクラウンやレジン前装冠に応用されてきた. さらに, 大小さまざまなフィラーと多官能性モノマーを成分とするマトリックスレジンから構成されるハイブリッド型コンポジットレジンが開発され, 現在ではマイクロフィルド型コンポジットレジンに代わってハイブリッド型コンポジットレジンとして使用されている. ハイブリッド型コンポジットレジンは, マトリックスレジンに Bis-GMA, UDMA, UTMA, TEGDMA などの多官能性モノマーが単独あるいは混合で用いられている. フィラーの含有量は70～90％で, シリカやケイ酸ガラスなどを主成分とし, 微細フィラー, サブミクロンオーダーの超微細フィラーを混合したり, 形状や大きさの異なるフィラーを混合して単位面積あたりのフィラー含有量を多くし, 強度を高めている. したがって, 耐摩耗性や破壊強度に優れ, また新規接着材を用いることによって口腔内で長期安定性の修復物としての期待がある. 前歯,

小臼歯だけではなく大臼歯への適用もある．最近では，ガラスファイバー繊維を応用することによって3ユニット程度のブリッジまで製作することが可能である．

（3）製作法

a．築盛法（図7-44〜53）

歯型に分離剤を塗布，乾燥後，支台歯の色を遮蔽し，色調を補正するためにオペークレジンを薄く築盛し，続いてボディにデンティン色，切縁側にエナメル色を築盛し，必要に応じてサービカル色，インサイザル色を築盛する．それぞれ，異なる色のレジンペーストを築盛する際には，必ず仮重合を行うために短時間の光照射を行う．光照射による仮重合によって最表層の酸素に触れる部分に未重合層が残るために次に築盛するレジンと結合する．すべてのレジンの築盛が完了すれば，最終的に光重合（場合によっては加熱重合も加える）によって完全硬化させる．

形態修正はカーボランダムポイントやシリコーンポイントを用い，仕上げ研磨には

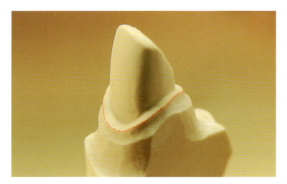

図7-44　ジャケットクラウンの支台歯形態
全周ショルダー形成された辺縁形態．

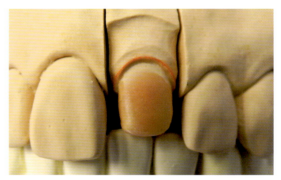

図7-45　スペーサー，分離剤の塗布
スペーサーは口腔内でのセメント合着時のスペースを兼ねる．マージン付近は適合を考慮して塗布しない．歯型上にレジン分離剤を塗布する．

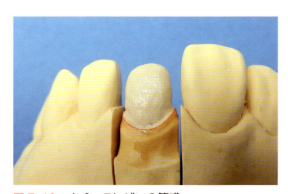

図7-46　オペークレジンの築盛
支台歯の金属色の遮断と色調の下地をつくる．

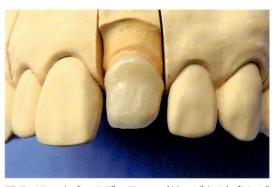

図7-47　オペークデンティン（サービカル）色レジンの築盛
歯頸部分の色調に合わせ築盛する．

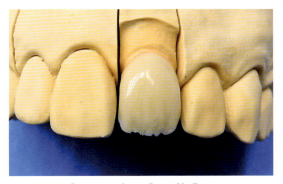

図 7-48　デンティン色レジンの築盛
象牙質の構造（指状構造）をイメージし，エナメル色レジンの築盛スペースを均一に残すよう築盛する．

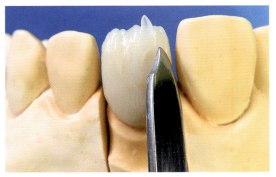

図 7-49　エナメル色レジンの築盛
指状構造の起伏に気泡を混入しないように細心の注意をはらいながら築盛する．

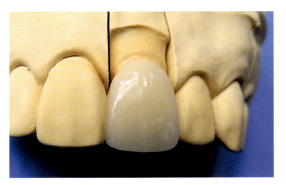

図 7-50　エナメル色レジンの築盛
未重合層，形態修正，研磨分を考慮し，若干大きく築盛する．

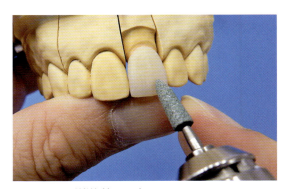

図 7-51　形態修整と研磨
カーボランダムポイントなどを用いて形態修正を行う．豊隆や溝といった細かい部分にはより小さくて細いポイントを使用する．

ダイヤモンド砥粒を含むペーストを使用する．

b．機械切削加工法（CAD/CAM システム法，CAD/CAM 冠）

　作業用模型（支台歯歯列模型，対合歯列模型，咬合採得情報）をスキャナーで計測する．計測された 3 次元形状データをもとに，コンピュータ上でクラウンの設計を行う（CAD）．設計が完了すれば，クラウンのデータから加工用のデータ（STL ファイル）に変換し，加工装置をコントロールする CAM に送信する．CAM ソフトによって，加工材料，ブロック（ディスク）における配置，加工保持部の位置調整，加工パスなどを決定し，情報を加工装置（ミリングマシン）に NC データとして送信する．加工装置では，適切な大きさのブロックをセットし，材料に合った条件でミリングバーによって切削される．最近のハイブリッド型コンポジットレジンブロックは単色だけでなく，多層構造をもつマルチレイヤータイプも開発され，多くの症例の色調にマッチする．切削加工されたクラウンは表面性状を整え，仕上げ研磨まで行う．

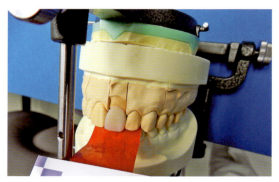

図 7-52　咬合関係の確認
咬合紙を用いて咬合の調整を行う.

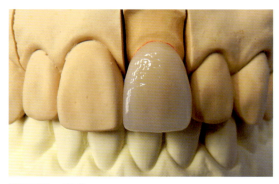

図 7-53　完成
ペーパーコーンやシリコーンポイントを用い表面性状を
滑らかにし，バフ研磨にて仕上げ研磨を行う.

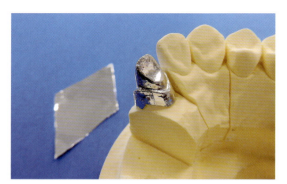

図 7-54　金属箔（マトリックス）の歯型への圧接

4）ポーセレンジャケットクラウン

　　1889 年 C.H. Land によって開発され，セラミックスのみによる全部被覆冠が歯科で用いられるようになったが，1965 年 J.W. McLean が長石質陶材に補強のためにアルミナを加えて完成されたアルミナスポーセレンジャケットクラウンが実用化されてから「ポーセレンジャケットクラウン」として臨床応用がなされた.

　　ポーセレンジャケットクラウンの製作は，歯型に薄い（25 μm）白金箔やパラジウム箔をバーニッシャーやツィザーを用いて圧接し（図 7-54），その箔（マトリックスという）の上にポーセレンパウダーを築盛し，焼成後クラウンを完成させる.　マトリックスをピンセットで慎重に除去後，クラウンを支台歯に試適し，最終的に装着する.　ポーセレンジャケットクラウンは，審美性や生体親和性に優れるが，製作法が煩雑で，特にマトリックスの圧接によって適合性が大きく左右され，またポーセレンの脆弱性によってブリッジには適用できず，適応症例も限定される.

5）オールセラミッククラウン

　　ポーセレン本来の曲げ強さや破壊靱性値などの機械的特性を著しく改善した高強度

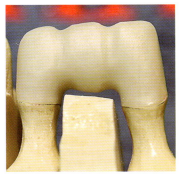

図 7-55〜57　耐火模型によるオールセラミッククラウンの製作

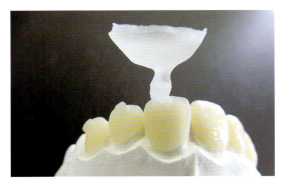
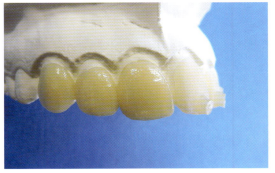

図 7-58, 59　ロストワックス法によるオールセラミッククラウンの製作

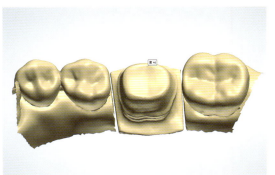

図 7-60, 61　CAD によるクラウンの設計①

　セラミックス材料によって製作されたセラミックスのみによる全部被覆冠をオールセラミッククラウンという.

　オールセラミッククラウンには，クラックの伝播をマトリックス中に分散させた結晶粒子によって抑制し，セラミックス自体の強度を高めた分散強化型ガラスセラミックスと高強度のアルミナやジルコニアのコア材上に歯冠色セラミックスを築盛させたセラミッククラウンがある．また，最近では高密度焼結型ジルコニアの単体によるク

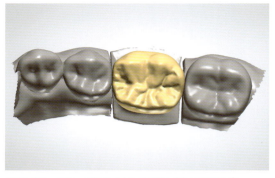
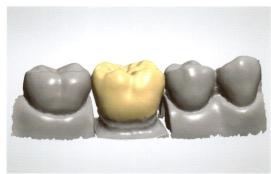

図 7-62，63　CAD によるクラウンの設計②

図 7-64　CAM によるディスクの切削加工

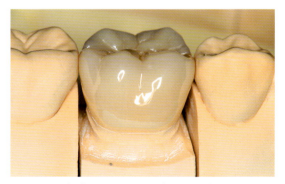

図 7-65　完成したクラウン（頬側面観）

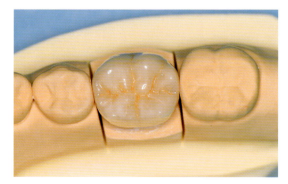

図 7-66　完成したクラウン（咬合面観）

ラウン（モノリシッククラウン）も開発され，従来のポーセレンジャケットクラウン
を凌ぐ高強度のクラウンが口腔内に装着される．

　オールセラミッククラウンの製作法としては，高強度セラミックスを耐火性の副歯
型に直接築盛，焼成する方法（図 7-55～57），ロストワックス法（図 7-58，59）に
よる鋳造法やプレス法，CAD/CAM システムによる機械切削加工法（図 7-60～66）
がある．

8 ブリッジ

到達目標

①ポンティックの要件と構造を列挙できる.
②ポンティックの種類と形態を説明できる.
③ポンティックの適用部位を説明できる.
④連結法の種類，適応および用途を説明できる.
⑤ブリッジを製作できる.

1 支台装置

1）支台装置の種類

　　ブリッジの支台装置としては全部金属冠，前装冠などが用いられることが多く，部分被覆冠，インレー，アンレーなどが適応される症例もある．しかし，ジャケットクラウン，ラミネートベニアのように金属を使用しない歯冠修復物は，原則として支台装置には用いられない．これは，ブリッジの**ポンティック**に加わる咬合圧が連結部を介して支台装置に伝わるため，陶材または間接修復用コンポジットレジンのみでは連結部の強度を確保できないからであるが，近年ではジルコニアなど，一部の高強度セラミックスは使用可能となっている.

2）支台装置の適応用途

　　支台装置としてどの種類の歯冠修復物を適応するかは，部位や支台歯の状態，患者の希望などによって決定される．また，ブリッジの種類や欠損歯数，生活歯か失活歯かによっても制限を受けることがある．いずれにせよ支台装置の選択においては，咬合力に十分耐えうる強度と保持力を確保できること，必要な審美性を満たすこと，齲蝕や歯周疾患などを誘発しないことが考慮されなければならない.

2 ポンティック

1）ポンティックの要件と構造

　　ポンティックとは，歯の欠損に伴って損なわれる咀嚼，発音などの機能と審美性を

回復する役割をもつ人工歯のことである．ポンティックの要件を以下に示す．

　①咀嚼，発音などの機能を回復できること．

　②十分な強度を有していること．

　③支台歯に対して過重な負担とならないこと．

　④周囲組織に対して為害作用が少ないこと．

　⑤必要な審美性を有していること．

　⑥口腔内において違和感のない形態であること．

　ポンティックは，基本的には欠損した歯を回復したような形態とする．ただし，臼歯部咬合面などは，頰舌幅径と咬頭傾斜を若干小さくしてポンティックに直接かかる咬合力の負担を軽減させる．また，ポンティックは支台装置と連結して固定される構造となっており，歯頸部には天然歯歯根がないため，顎堤粘膜との接触部は清掃性や審美性との兼ね合いによりさまざまな形態のなかから選択される．

2) ポンティックの種類と形態

（1）材質による分類

　ポンティックは，用いる材質の違いにより以下のように分類される（図 8-1）．

a．全部金属ポンティック

　すべて金属によって製作されるポンティックで，臼歯部に用いられる．金属部が肉厚となるため，鋳巣が入ることもあるので注意が必要である．また，金属は陶材と比較してデンタルプラークが付着しやすいので，顎堤粘膜との接触部やその付近などの基底部は特に滑沢に研磨されていなければならない．

b．レジン前装ポンティック

　レジンと金属によって製作されるポンティックで，前歯部と臼歯部に用いられる．すべてが金属のものより重量は軽くなり，鋳巣が入る心配も少なくなるが，レジンは陶材や金属よりデンタルプラークが付着しやすいので，基底部は金属とする．全部金属ポンティックと同じく滑沢に研磨する．

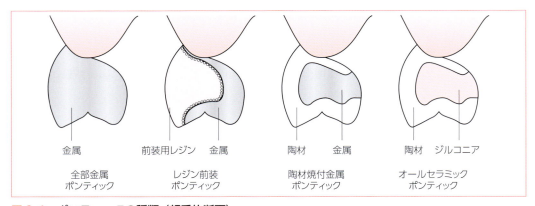

金属	前装用レジン　金属	陶材　金属	陶材　ジルコニア
全部金属 ポンティック	レジン前装 ポンティック	陶材焼付金属 ポンティック	オールセラミック ポンティック

図 8-1　**ポンティックの種類（頰舌的断面）**

c. 陶材焼付金属ポンティック

陶材と金属によって製作されるポンティックで，前歯部と臼歯部に用いられる．レジン前装ポンティックと比べるとやや金属部が肉厚となるため，鋳巣には注意が必要である．つや出し焼成した陶材はレジンや金属よりデンタルプラークが付着しにくく，また生体親和性に優れ，口腔内において安定していることから，基底部は陶材で製作される．

d. オールセラミックポンティック

陶材とジルコニアによって製作されるポンティックで，前歯部と臼歯部に用いられる．陶材焼付金属ポンティックと同様にデンタルプラークが付着しにくく，生体親和性に優れ，口腔内において安定している．ジルコニアのみでポンティックを構成することも可能である．

(2) 基底部形態による分類

ポンティックは**基底部形態**と顎堤粘膜との接触関係から以下のように分類される（図 8-2，3）．

a. 離底型ポンティック

基底部が顎堤粘膜から完全に離れている形態．粘膜接触部がないため最も清掃性に優れるが，食物が挟まりやすい．審美性と舌感，発音機能の点で劣る．

b. 船底型ポンティック

基底部が船底型（楕円型）で，歯槽頂の粘膜と点状に接触する形態．清掃は比較的容易であるが，審美性は劣る．

c. 偏側型ポンティック

唇側または頬側の歯頸部のみが顎堤粘膜と線状に接触し，舌側に向かうにしたがって徐々に顎堤粘膜から離れていく形態．リッジラップ型より舌側の空隙が大きい．唇側（頬側）歯頸部が粘膜と接している．

d. モディファイドリッジラップ型ポンティック

唇側または頬側の歯頸部から歯槽頂部まで全面的あるいは部分的（T 字型）に顎堤粘膜と接触し，その後徐々に粘膜から離れていく形態．

e. リッジラップ型ポンティック

唇側または頬側の歯頸部から歯槽頂部を超えて T 字型に顎堤粘膜と接触し，その後徐々に粘膜から離れていく形態．

基底面の接触範囲が異なる c，d，e の 3 形態を比較すると，唇側（頬側）面観に差異はないため審美性は同程度，清掃性は c＞d＞e，舌感は e＞d＞c である．

f. 鞍状型ポンティック

基底部が顎堤粘膜と鞍状に接触する形態．審美性と舌感に優れるが，粘膜面の清掃は不可能である．可撤性ブリッジに用いられる．

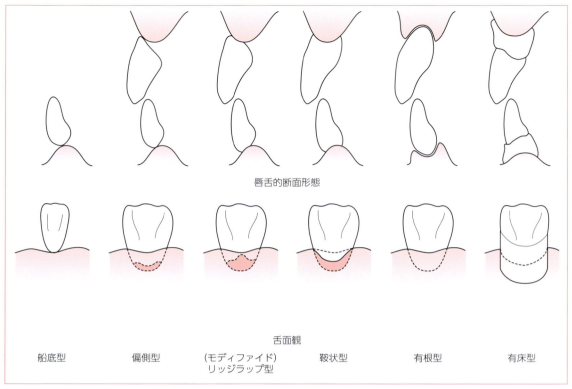

唇舌的断面形態

舌面観

| 船底型 | 偏側型 | （モディファイド）リッジラップ型 | 鞍状型 | 有根型 | 有床型 |

図 8-2 前歯部ポンティックの形態

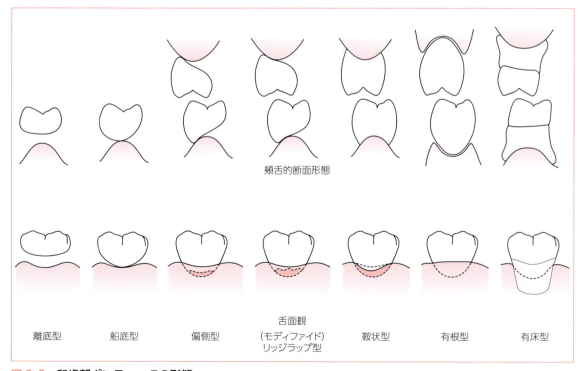

頬舌的断面形態

舌面観

| 離底型 | 船底型 | 偏側型 | （モディファイド）リッジラップ型 | 鞍状型 | 有根型 | 有床型 |

図 8-3 臼歯部ポンティックの形態

g. 有根型ポンティック

抜歯窩にあたかも歯根が存在するような形態付与を行ったポンティックで，審美性を改善する目的で，基底部を歯根長の1/4～1/5程度嵌入させる．ほとんど用いられない．

h. 有床型ポンティック

ポンティック基底部に床がつき，顎堤粘膜と広く接触する形態．欠損部の歯槽骨が大きく吸収した場合に用いられ，審美性の回復には有利であるが，装着したままでは清掃性は悪い．可撤性ブリッジに用いられる．

i. オベイト型ポンティック

上顎前歯など，特に審美性を重視する部位に用いられるもので，顎堤粘膜に意図的に陥凹部をつくり，凸面状のポンティック基底部が入り込むようになっている．このためポンティック部が歯根とつながっているようにみえるが，粘膜面の清掃は事実上不可能である．

これらのポンティックは**自浄性**，**清掃性**によっても分類される（表8-1）．

表 8-1　自浄作用の有無に基づくポンティックの分類

自浄作用による分類	ポンティック基底部の形態
完全自浄型	離底型
半自浄型	船底型，偏側型，リッジラップ型
非自浄型	鞍状型，有根型，有床型，オベイト型

表 8-2　固定性ブリッジによる補綴部位と主に適応されるポンティックの種類および基底部の形態

適応部位	ポンティックの種類	ポンティックの基底部の形態
上顎前歯部	レジン前装ポンティック 陶材焼付金属ポンティック	偏側型 リッジラップ型 オベイト型
下顎前歯部	レジン前装ポンティック 陶材焼付金属ポンティック	船底型 偏側型 リッジラップ型 オベイト型
上顎臼歯部	全部金属ポンティック レジン前装ポンティック 陶材焼付金属ポンティック	偏側型 リッジラップ型
下顎臼歯部	全部金属ポンティック レジン前装ポンティック 陶材焼付金属ポンティック	離底型（大臼歯部） 船底型 偏側型

※リッジラップ型にはモディファイドリッジラップ型を含む
※適応部位は目安であり，欠損部粘膜面の形態によって基底部の適用形態も変化しうる．

3) ポンティックの適応用途

ポンティックは欠損部位，顎堤粘膜の形態，口腔内の清掃状態など多くの因子を考慮して種類，形態が選択される．またブリッジの種類が固定性か可撤性かによっても異なる．固定性ブリッジにおける一般的な適応用途を表8-2に示す．

3 連結法

1) 連結法の種類, 適応用途

以下に連結法の種類と適応用途を示す．ブリッジの種類はこれらの連結法により**固定性ブリッジ，半固定性（可動性）ブリッジ，可撤性ブリッジ**に分類される．

（1）固定性連結

支台装置とポンティックが動かないように固定連結されるもので，一般的に使用される連結法である．製作法には次のような方法がある．

a. ワンピースキャスト法

ワックスパターン形成時に支台装置とポンティックを連結し，一塊として鋳造する方法をいう．支台装置，連結部，ポンティックが同一金属で一体化されるため，強度と耐食性に優れる．しかし，歯数が多いと鋳造収縮により適合精度が低下する傾向にある．支台装置間の距離にもよるが, 通常は3〜4歯までが適応範囲となる．技工作業は簡便である．

b. ろう付け法

ブリッジの構造体を分割して鋳造後，これらを支台歯の位置関係に合わせて埋没材もしくはワイヤーで固定し，次に母材の合金よりも融点の低い合金（ろう）を流して連結する方法をいう．支台装置とポンティックを構成する合金より低融点のろうで連結するため，ワンピースキャスト法に比べると強度が劣る．また，ブリッジ用の合金とろう付け用合金は異種合金であるため，口腔内での耐食性がワンピースキャスト法よりも劣る．

ろう付け法はワンピースキャスト法に比べて技工作業が複雑になるが，鋳造による変形を受けやすい4歯以上のユニットの連結などに有効であり，支台歯間の適合精度が不良なワンピースブリッジの再連結などにも用いられる．

陶材焼付金属ブリッジのろう付けにおいては，陶材を築盛する前にメタルフレームをろう付けする**前ろう付け法**と, つや出し焼成後にろう付けする**後ろう付け法**がある．

c. 溶接法

ブリッジの構造体を分割して鋳造後，模型上で位置関係を固定し，母材の合金と同一成分の合金で連結する方法をいう．通常は**レーザー照射**により連結部の合金を瞬間的に融解して連結する．母材と同種金属の溶接棒を使用することもある．

ろう付け法と比較して強度と耐食性に優れ，埋没などの操作が不要であるが，融解された合金の凝固収縮により変形が起こりやすい．主にワンピースキャスト法やろう付け法が使用できないチタン製ブリッジの連結などに使用され，ろう付けができないレジン前装ブリッジの再連結に用いられることもある．

（2）半固定性（可動性）連結

ブリッジ連結部の一側は固定性とするが，他側は**キーアンドキーウェイ**などの**アタッチメント類**を用いて可動性を付与する連結をいう．ワックスパターンのミリング，アタッチメントの鋳接，ろう付けなど，付随する技工作業が必要となる．固定性連結と比較して装着後の機能に差はないが，可動性連結部の強度が劣るため注意しなければならない．主に支台歯間の平行性の確保が難しい場合に使用され，前歯部から臼歯部にわたる大型のブリッジなどに応用される．

（3）可撤性連結

ブリッジ連結部の両側をキーアンドキーウェイなどのアタッチメント類を用いて可動性にし，装置の一部が着脱できる構造をもつ連結をいう．着脱部が脱落しないよう，適度な保持力をもつアタッチメントの使用が必要で，鋳接，ろう付けなど技工作業は複雑となる．また，ポンティックに加わる咬合圧が可動部に集中しやすいため，設計には注意しなければならない．有床型と鞍状型ポンティックを適応できるため審美的に有利であり，顎堤吸収が大きい場合や欠損範囲が広い症例に有効である．

2）連結部の要件

連結部はポンティックに加わる咬合力に耐え得る機械的強度と耐食性が必要であり，できるだけ広い断面積でなければならない．しかし一方で，審美性，清掃性，発音機能を満たす適正な鼓形空隙も必要である．以下に連結部の要件を示す．

①十分な強度を有していること．
②耐食性に優れていること．
③解剖学的形態をなるべく損なわないこと．

連結部は上下的に厚みのある形態が強度的に有利であるが，鼓形空隙の確保が難しい場合には頬舌径の舌側を厚くする方法もよく用いられる．粘膜面は不潔になりやすいため，断面は凹部がない楕円形にして滑沢に研磨しなければならない．ブリッジによる補綴治療の予後にも影響するため，設計には十分注意が必要である．

3）連結部を含む歯列に与える咬合

（1）前歯部のブリッジ

咬頭嵌合位においては上顎前歯部と下顎前歯部が強く接触しないようにし，前方運

動時には上下顎切歯が，側方運動時には作業側の犬歯が接触してガイドをするような咬合を与える．

（2）臼歯部のブリッジ

固定性ブリッジの場合，ポンティックに加わる咬合力も支台装置が負担することになる．支台歯の負担過重を防ぐためには，以下の条件を整える．

①咬頭嵌合位での接触は面接触をさけて点接触とし，上下接触面積を縮小させる．

②ポンティックの咬合面頬舌径は天然歯の2/3〜3/4程度とし，咬頭傾斜を緩やかにする．ポンティックに加わる咬合力が支台歯の歯軸方向に荷重されるように考慮する．

③ポンティックと両側の支台装置を直線上に配置する．

④咀嚼圧の負担を軽減させ咀嚼能率を高めるために，咬合面にスピルウェイを付与する．

⑤咬合力によって変形しない強度にする．

（3）ブリッジの形態とワックスパターン形成

前歯部は反対側同名歯の形態を参考にするが，反対側同名歯が欠損している場合はそのほかの残存歯を参考にする．切縁や隅角部の形態に変化をもたせて性別を表現したり，切縁部の咬耗や歯冠の長さを変化させて年齢を表現したり，上顎前歯部の切縁の走行状態を微笑線（スマイリングライン）に一致させて審美性を向上させるなどする．

多数歯欠損でアンテリアガイダンスが不明な場合は，プロビジョナルレストレーションによって患者の口腔内でスムーズな偏心運動が行えるような舌側面形態をつくった後，咬合器上の作業用模型にプロビジョナルレストレーションを装着してアンテリアガイダンスを再現し，作業用模型上でワックスパターン形成を行う．

4 ブリッジの製作法

ブリッジは支台装置とポンティックの連結方法の違いや，使用される材質によってさまざまな製作法がある．ここでは臨床的に多くみられる固定性ブリッジの製作法について述べる．

1）ワンピースキャスト法による臼歯部全部金属ブリッジの製作法

ワンピースキャスト法による臼歯部全部金属ブリッジ（レジン前装ポンティック）の製作法を図8-4〜23に示す．

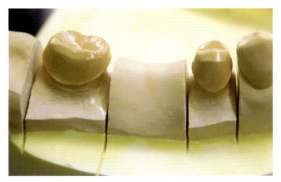

図 8-4　作業用模型の製作
クラウン製作用の模型と基本的に同じであるが，欠損部の分割は隣接支台歯のフィニッシュラインを傷つけないよう注意するとともに，できるだけ歯型に寄せて行う．

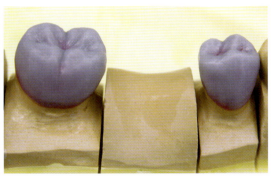

図 8-5　支台装置のワックスパターン形成
対合歯との咬合関係の確認や欠損部幅径とのバランスを考慮して解剖学的形態を回復する．また，スピーの彎曲やモンソンカーブの付与など，理想的な咬合歯列に近づくよう残存歯との調和に注意する．

図 8-6　欠損部の作業用模型の調整
ポンティック基底部が金属の場合は，鋳造後の研磨により若干減るため，口腔内では粘膜と接触しない．したがって，粘膜接触型ポンティックを用いる場合は，あらかじめ粘膜部を削っておく．通常，鉛筆で黒く塗ったところをデザインナイフで削る作業を数回繰り返す．

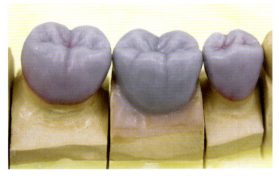

図 8-7　ポンティックのワックスパターン形成
ポンティック基底部のワックスがしわにならないよう粘膜部にシートワックスを圧接し，その上にポンティックフォーマーなどで概形をつくったワックスをのせる．その後，咬合関係や支台装置とのバランスを考慮しながら解剖学的形態を付与する．

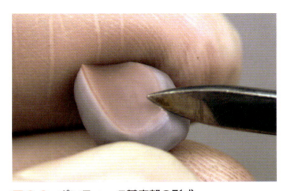

図 8-8　ポンティック基底部の形成
ポンティック概形のワックスパターン形成後，頰側のシートワックスを切り取って基底部の形成を行う．

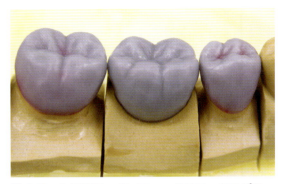

図 8-9　支台装置，ポンティックのワックスパターンの完成

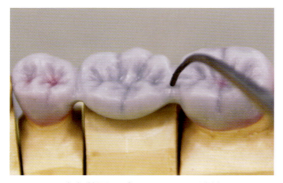

図 8-10　支台装置とポンティックの連結
支台装置とポンティックの接触部にワックスを流して連結部を製作する．ポンティックの位置がずれないよう，咬合関係も確認して行う．

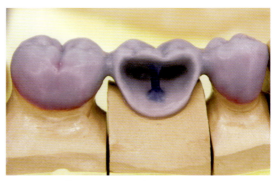

図 8-11　ポンティックの窓開け
ポンティックを前装する場合は窓開けを行う（全部金属ポンティックの場合はこのステップは省かれる）．写真は，窓開け部にレディキャスティングワックスで維持棒を付与したところ．

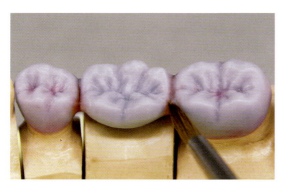

図 8-12　連結部の分割，辺縁部の修正，再連結
ワックスパターンがすべて完成したら連結部を分割し，辺縁部を修正した後，再連結を行う．連結部に空隙があると材料の収縮によりブリッジの変形を招くので注意が必要となる（ろう付け法を用いる場合は，一方の連結部を分割したままにしておく）．

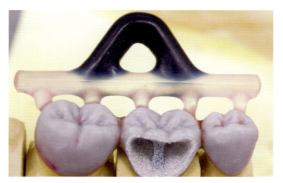

図 8-13　スプルー線の植立
ワンピースキャスト法を用いる場合は，ワックスパターンを作業用模型から撤去するときに変形が起こらないように注意する．また，スプルー線植立時も，ワックスの収縮によりワックスパターンが変形しないよう注意が必要である．

図 8-14　埋没
クラウンの埋没と基本的に同じであるが，ワックスパターンとリング上面，内側面との距離には注意して鋳造リングを選択しておかなければならない．また，鋳造リングが大きくなるため，リングライナーも厚くする必要がある．

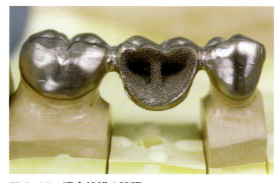

図 8-15　適合状態の確認
鋳造，スプルー切断後，内面の気泡などを除去して作業用模型への適合を確認する．1 歯ずつ歯型との適合を行い，すべて良好であれば作業用模型に戻して歯型間での適合を確認する．このとき不適合があれば，再製作もしくは切断してろう付けとなる．

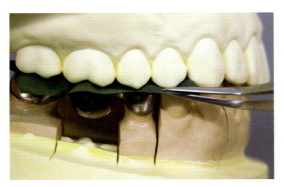

図 8-16　咬合関係の調整
隣接面接触点を調整して作業用模型に戻し，咬合関係の調整を行う．これらの調整はクラウンに準ずる．

図 8-17　ポンティック基底部および連結部の調整
ポンティック基底部や連結部をカーボランダムポイントなどを用いて微調整する．この後，粗研磨を行う．

図 8-18　中研磨
シリコーンポイントなどでブリッジ全体の中研磨を行う．

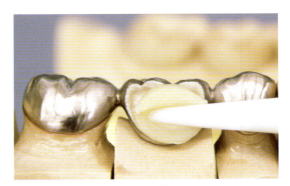

図 8-19　ポンティックの前装
基本的にレジン前装冠の築盛と同じである．

図 8-20　仕上げ研磨
レジン部の形態修正，研磨後，最終研磨とつや出しを行う．

図 8-21　ブリッジの粘膜面観
ポンティック基底部および連結部は，凹部や傷がないように特に滑沢に研磨されていなければならない．

図 8-22　ワンピースキャスト法により製作した ⑦⑥⑤固定性ブリッジ（レジン前装ポンティック）の頬側面
ポンティックはモディファイドリッジラップ型.

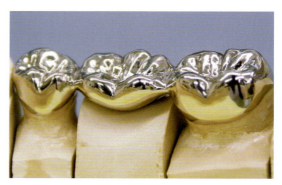

図 8-23　同舌側面

2）ワンピースキャスト法による前歯部陶材焼付金属ブリッジの製作法

ワンピースキャスト法による前歯部陶材焼付金属ブリッジの製作法を図 8-24～39 に示す.

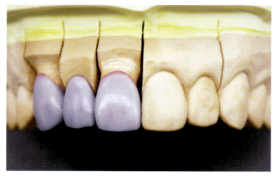

図 8-24　歯冠形態の回復
前歯部では反対側同名歯の形態を考慮して歯冠形態を回復し，咬合関係を調整する．この後，窓開け時の陶材スペースの確認と形態修正時の参考のため唇側面コアを採得する．

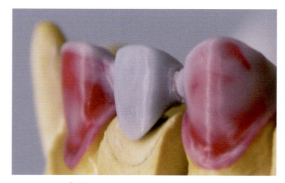

図 8-25　窓開け
ポンティックは基底部も陶材を築盛するための窓開けが必要である．このため隣接の一側を支台装置と連結した状態で行う．また，事前に採得した唇側面コアで陶材の築盛スペースの確認を必ず行い，連結部が強度不足にならないよう十分注意する．

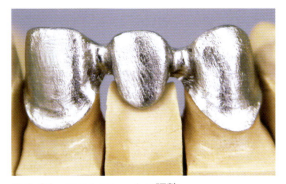

図 8-26　メタルフレームの調整
鋳造後，適合を確認しメタルフレームを調整する．調整法は陶材焼付金属冠に準じる．

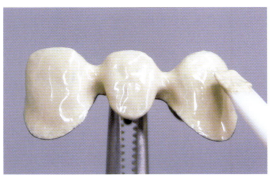

図 8-27　オペーク陶材の築盛
アルミナブラスト処理後，ディギャッシングを行い，オペーク陶材を築盛する．最近ではペースト状のオペークが主流になりつつあり，作業が簡便で焼成後の辺縁部の引かれも少ない．

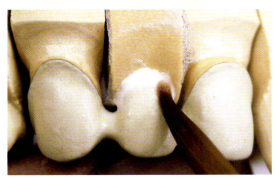

図 8-28　サービカル色陶材の築盛
ポンティック基底部は唇側部にオペークがないため，そのままでは光を透過して暗い色調となる．そこでサービカル色陶材など，デンティン色陶材より不透明な陶材を築盛する．

図 8-29　デンティン色陶材の築盛
最終的な歯冠の大きさにデンティン色陶材を築盛する．ポンティック基底部は後で陶材を撤去しやすいよう，作業用模型にティッシュペーパーを貼りつけている．

図 8-30　象牙質指状構造の形成
エナメル色陶材のスペースを確保するため象牙質指状構造の形成を行い，ぬれた筆で調整する．

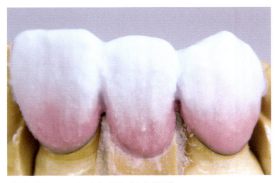

図 8-31　エナメル色陶材の築盛
焼成収縮分を考慮して大きめに築盛する（二層築盛法）．

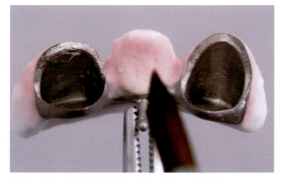

図 8-32　作業用模型からのブリッジの撤去

撤去後，ブリッジ両隣接面とポンティック基底部に焼成収縮分の陶材を築盛する．

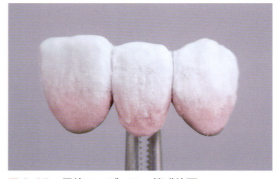

図 8-33　最終コンデンス，築盛終了

形が崩れないよう慎重に最終コンデンスを行う．ブリッジでは陶材量が多いため，焼成収縮によりひび割れやメタルフレームの変形が生じる．それを防ぐためにデザインナイフで連結部に切れ込みを入れておく．

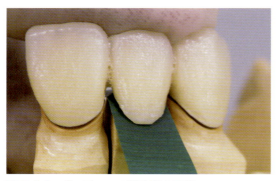

図 8-34　ポンティック基底部の調整

焼成終了後，ポンティック基底部を削合し，粘膜部の調整を行う．

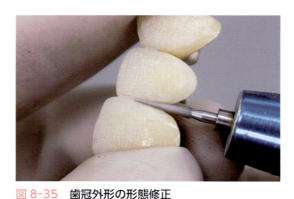

図 8-35　歯冠外形の形態修正

隣接面接触部の調整を行い，咬合関係をある程度調整した後，ブリッジの形態修正を行う．反対側同名歯の形態や歯列のバランスを考慮し，歯冠隣接面には細いダイヤモンドポイントなどを用いる．

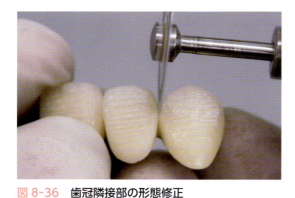

図 8-36　歯冠隣接部の形態修正

すべて連結されているブリッジにおいては，歯冠隣接部の形態は歯の独立感の有無に影響し，特に前歯部では重要である．最終的な調整は厚みの薄いダイヤモンドディスクを用いて行う．

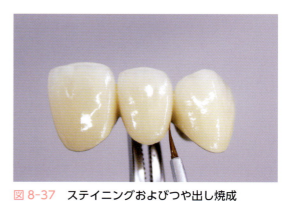

図 8-37　ステイニングおよびつや出し焼成

色調の調整が必要であれば着色用陶材を塗布する．歯頸部や隣接面へ着色用陶材を塗布することでブリッジの立体感や独立感が表現しやすい．これらの作業後，つや出し焼成を行う．

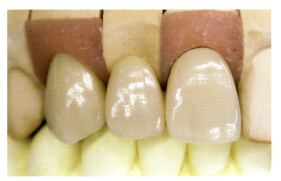

図 8-38　ワンピースキャスト法により完成した
③②①固定性ブリッジ（陶材焼付金属ブリッジ）の
唇側面
ポンティックはモディファイドリッジラップ型.

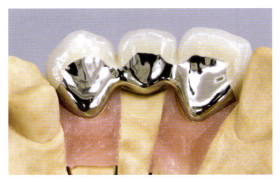

図 8-39　同舌側面

5　接着ブリッジの製作法

1）意義，特徴，適応用途

接着ブリッジの技法には，以下のような特徴がある．

①支台歯の削除を原則エナメル質の範囲内にとどめる．

②健全歯質を可及的に残す．

③歯質，支台装置とも，試適後に接着のための処理を行う．

④装着には歯質と支台装置双方に接着する装着材料を使用する．

歯科医師にとっては支台歯形成と装着操作，歯科技工士にとってはフレームの製作に熟練を要するが，患者にとっては歯質への侵襲を最小限に抑えた固定性補綴処置を受けられる，という意義がある．

支台歯に実質欠損の少ない1,2歯欠損の症例が接着ブリッジの適応となる．支台歯に顕著な動揺がある場合，歯質側の接着面が象牙質となる場合，支台装置の厚さが十分確保できない症例などは適用禁忌である．

2）支台歯形態

接着ブリッジの支台歯形態は，形成をエナメル質内にとどめ，必要に応じて隣接面のグルーブ，基底結節付近のレッジ，ホールなどを追加する（図 8-40）．

臼歯部においては,咬合圧が舌側軸面のブリッジ接着面に剥離力としてかかるため，欠損側隣接面,舌側軸面のみならず咬合面を削除するD字型の形成とする．接着ブリッジの支台歯形成では健全な機能咬頭の削除は行わない（図 8-41）．

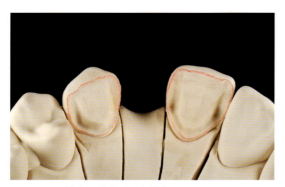

図 8-40　前歯の支台歯形成例
支台歯形成は可及的にエナメルの範囲内とする.

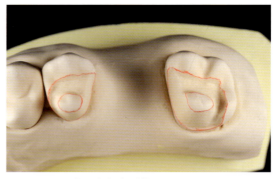

図 8-41　臼歯の支台歯形態
機能咬頭は削除しない.

3）接着ブリッジの製作と接着面処理法

（1）作業用模型

　接着ブリッジのフィニッシュラインは歯肉縁上に設定される．作業用模型は歯型固着式または歯型可撤式とする．

（2）ワックスパターン形成

　接着ブリッジの維持は，ブリッジと歯質の接着に依存している．ブリッジが長期間接着するためには，ブリッジが変形しにくく，剛性強度が高いことが必要である．

　接着ブリッジは歯質の削除量が少ないため，削除した歯の厚さをそのまま回復した場合，メタルフレームが薄くなりがちである．支台装置の強度を確保するためにワックスの厚さを確認し，連結部の強度を可及的に確保する（図 8-42）．

（3）窓開け，維持装置の付与

　レジン前装ポンティックはレジン前装冠の製作に準じて窓開けを行う．接着剤を可及的に薄く塗布し，溶媒がほぼ揮発した後でリテンションビーズを振りかける．

（4）連結部

　ワックスのポンティックと支台装置を連結する際にはパターンレジンあるいは模型用の接着剤を併用し，パターンの変形に注意しつつ連結を行う（図 8-43）．

（5）埋没，鋳造，硬化熱処理

　埋没および鋳造は通法に従い行う．接着ブリッジのフレームワークには，**金銀パラジウム合金**（保険適用），コバルトクロム合金（保険適用外）などを使用する．前者は鋳造後に**硬化熱処理**を行う．金銀パラジウム合金の硬化熱処理は 2 段階からなり，はじめに 700℃で 5 分程度係留後急冷（溶体化処理）し，さらに 400℃で 15～20 分間加

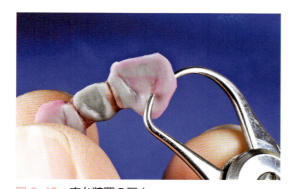

図 8-42　支台装置の厚さ
ブリッジに剛性をもたせるため, 支台装置の厚さは 1 mm
以上確保できることが望ましい.

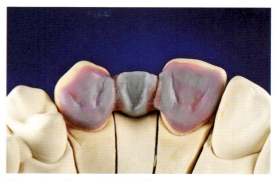

図 8-43　ブリッジの連結部
支台装置とポンティックの連結部は, 変形を防止するた
め接着剤を使用する. 写真の連結部ではパターンレジン
を使用している.

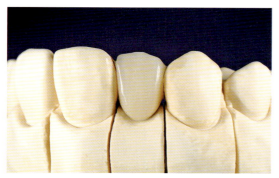

図 8-44　完成した前歯部接着ブリッジの唇側面観
連結部に金属が露出しないよう配慮する.

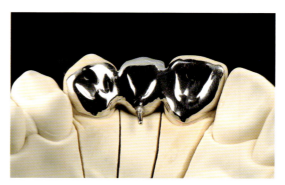

図 8-45　完成した前歯部接着ブリッジの舌側面観

熱後自然放冷する（硬化熱処理, 時効処理）.

(6) メタルフレームの研磨, レジン前装

　メタルフレームの研磨は, 通法に従い行う. レジン前装面には**アルミナブラスト処
理**を行う. アルミナブラスト処理後の前装面には当該合金の接着に有効なプライマー
を塗布する. 前装作業はレジン前装冠の製作方法に準じて行う（図 8-44, 45）.

(7) 支台装置の内面処理

　ブリッジの完成後, 診療室で口腔内試適を行う. 試適の際, 唾液などで支台装置内
面が汚染され, 接着の妨げになる. そのため試適, 調整, 研磨が終了したのちに支台
装置内面の接着処理を行う. まず, 支台装置の接着面にブラスト処理を施す. その際,
砥粒 $50 \sim 70 \, \mu m$ のアルミナを使用し, 噴射圧を 0.5 MPa 程度に設定する. 次に**金属接
着プライマー**を塗布して接着前処理を終える.

　装着直前の試適時には患者が来院しているため，試適後のアルミナブラスト処理は院内技工室か診療室に設置した**ブラスター**で行い，接着面へのプライマーの塗布は診療室内（患者の傍ら）で歯科医師が行う．その後ただちにレジンセメントを用いて装着操作に移る．接着ブリッジ製作および装着の流れを図 8-46 に示した．

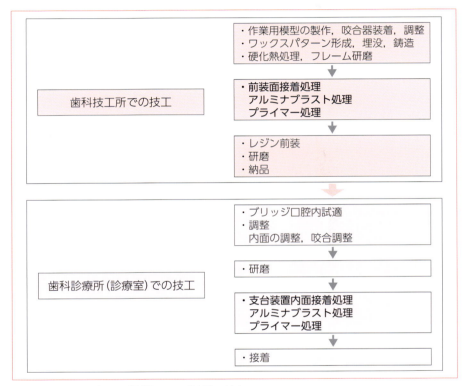

図 8-46　接着ブリッジ製作および装着の流れ
診療室の接着操作はブリッジ調整，研磨後に行う．

9 インプラント

到達目標

到達目標

① インプラントの目的を述べる.
② インプラントの種類を列挙できる.
③ インプラントの上部構造体の製作法を概説できる.

1 インプラントの概要

インプラントとは，顎骨内に埋入されて骨と結合（**オッセオインテグレーション**）した部分が歯根の役割を果たし（**人工歯根**），それに連続した歯肉部より上部の構造が補綴装置として機能する欠損修復方法の一種である（図 9-1）.

1) インプラント体

骨内に埋入され，直接骨と接触する部分である．生体親和性に高いチタンが用いられるが，その表面は粗面であり，**サンドブラスト**，サンドブラストと**エッチング**，**チタンプラズマスプレーコーティング**，**陽極酸化処理**，**ハイドロキシアパタイトコーティング**などさまざまな方法で表面処理が施されている．このような方法で表面を微細にすることによって，骨との接触面積を広げ，組織的にも骨との結合を有利にしている．

インプラント体は，骨量や骨形態に応じて適応できるように，形態，直径や長さの異なるサイズが組み合わされ，システム化されている.

2) アバットメント

インプラント体に**スクリュー**などを介して装着される支台部分であり，ストレートタイプと，インプラント埋入方向と補綴装置の歯軸方向が異なる角度付きタイプがある（図 9-2）．インプラント体とアバットメントの結合に緩みが生じると骨結合を破壊する危険性があるため，緊密な適合と連結が重要となる.

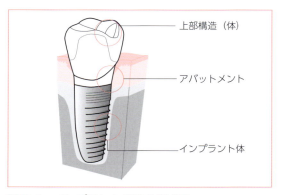

図 9-1　インプラント修復の模式図

ストレートタイプ　　角度付きタイプ

図 9-2　アバットメント

3）上部構造（体）

　　アバットメントの上に装着されるクラウンや義歯のことで，小さなスクリューまたはセメントで装着される．通常，術者可撤性で，定期検診時に歯科医師または歯科衛生士によって外すことが可能であり，患者自身は外すことができない．インプラント体は骨結合しているため天然歯のような歯根膜が存在せず，生理的動揺がないので，歯科技工においてはかなり精度の高い適合性が要求される．

2 インプラントと生体

　　ドリルで形成された窩洞に，インプラント体が緩みのない状態（**初期固定**）で植立されると，インプラント体（チタン）と骨組織との間に創傷治癒反応が生じ，骨の改造機転によってオッセオインテグレーションが獲得される．すなわち，インプラント体を構成するチタンは，骨との間に線維性結合組織を介在することなく新生骨組織と直接接触し，細胞接着性タンパクの作用によって骨と結合している（図 9-3）．インプラント体が骨結合を得るには，下顎骨で約 3 カ月，上顎骨で約 6 カ月の治癒期間が必要であるとされてきたが，近年ではインプラント体表面の改質や患者からの要望もあり，植立後早期に荷重を負荷させる**即時負荷**（48 時間以内）あるいは**早期負荷**（通常負荷より早め）の傾向がある．

3 インプラント治療の流れと歯科技工

　　インプラント治療は，外科的侵襲が加わる欠損補綴治療であることから，術前の検査，診断，インフォームドコンセントはきわめて重要である．最近ではパノラマエックス線写真に加えてコーンビーム CT（図 9-4）によって顎骨の形態や骨質などを診査し，各種検査データをもとに診断される．治療計画の立案にあたっては，診断用ス

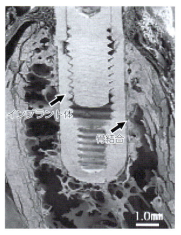

図 9-3 インプラント体と骨との結合

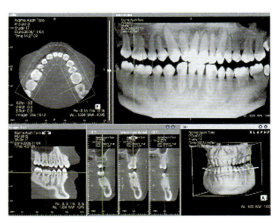

図 9-4 コーンビーム CT

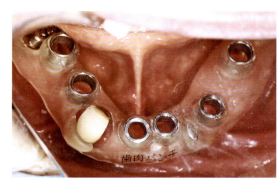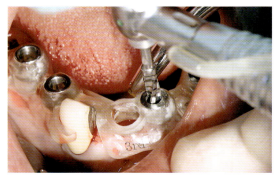

図 9-5, 6 サージカルガイドプレート

テントの製作が必要であり，インプラント体（フィクスチャー）を適正な位置に埋入するためにはサージカルガイドプレート（図 9-5, 6）を用いる．インプラント埋入後，1回法の埋入手術後および2回法の二次手術後にプロビジョナルレストレーションを装着し，周囲軟組織や咬合状態などの経過観察を行った後，最終的な上部構造の製作を行う．このように，インプラント治療においては診査・診断から歯科医師と歯科技工士との連携は必須である．

4 インプラントの種類

インプラントは，インプラント体の形状，埋入部位，埋入手術の回数，上部構造の固定方法などによって分類される．

スクリュータイプ　シリンダー　ルートフォームタイプ
（テーパータイプ）　タイプ　（コニカルタイプ）

図 9-7　インプラント体（フィクスチャー）の形状による分類

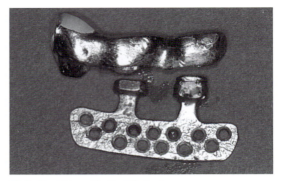

図 9-8　ブレードインプラント

1）インプラント体（フィクスチャー）の形状による分類

①**スクリュータイプ**（図 9-7 左）：インプラントの直径が先端にいくほど細くなり，ネジの形をしている．骨にドリリングした後トルクをかけてねじ込んいく．

②**シリンダータイプ**（図 9-7 中）：円筒形で上部と下部が同じ太さをしている．骨にドリリングした後適合よく圧入する．

③**ルートフォームタイプ**（図 9-7 右）：天然歯の歯根の形状をしたコニカル型で，最も一般的な形態である．

④**ブレードタイプ**（図 9-8）：板状で幅が狭く細いので比較的骨幅の狭い部分に用いることができるが，最近ではほとんど使用されない．

2）埋入部位による分類

①**骨内インプラント**：骨体内に位置するインプラントで，ドリルで骨にインプラント窩を形成し，その中にインプラントを埋め込むタイプで現在の主流である．

②**骨膜下インプラント**：骨の中にではなく，骨上（骨膜下）に位置するインプラントで，多くは骨面上にカスタマイズしたフレームを設置する．現在はほとんど使用されない．

③**歯内骨内インプラント**：天然歯の歯根を貫通し骨体内まで到達するように位置するインプラント．

④**粘膜内インプラント**：粘膜内に埋め込むインプラントで，ホックの形状をしていることからボタンインプラントともよばれる．

3）埋入手術の回数による分類

①**1 回法**：外科的手術を 1 回のみ行い，埋入後のインプラント体を口腔内に露出させたまま粘膜を縫合して，一定の治癒期間を経た後にアバットメントを装着して上部構造を固定する方法．

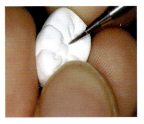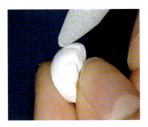

図9-9〜12 切削加工されたジルコニアクラウンの形態修正と着色

図9-13 マージンの適合性確認

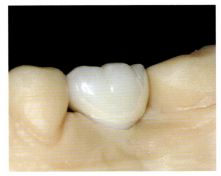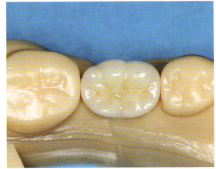

図9-14, 15 インプラント上部構造としてのフルジルコニアクラウン

② **2回法**：1回目の手術でインプラント体を顎骨内に埋入して粘膜を縫合し，完全に粘膜下に埋入する．その後，一定の治癒期間を経てから粘膜貫通の二次手術を行い，アバットメントを装着して上部構造を固定する方法．

4) 上部構造の固定方法による分類

① **セメント固定式**：審美性を重要視するために，歯科用セメントによって上部構造をアバットメントあるいはフィクスチャーに直接固定するタイプ（図9-9〜15）．セメント固定式の利点として，アクセスホールが不要なため審美性と設計の自由度が確保でき，上部構造の機械的強度を保つことができる．また，技工操作が単純化され，通常の補綴装置の製作技術がそのまま活かせる．欠点としては，上部構造が破損した場合の除去が困難で，仮着用セメントによる維持力のコントロールも難しい．

② **スクリュー固定式**：上部構造を，咬合面からスクリューによってアバットメントあるいはフィクスチャーと固定するか，または側方から小さなスクリューで固定するタイプ（図9-16〜20）．スクリュー固定の利点として，術者可撤性で，メインテナンス時の清掃が容易であり，上部構造のトラブルに対しても口腔外で修理が可能である．欠点としては，アクセスホールによって審美性が損なわれ，技工操作が煩雑で，上部構造のわずかな不適合や過重負担によるスクリューの緩みや

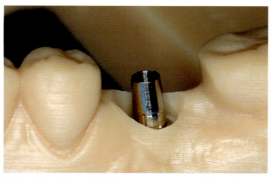
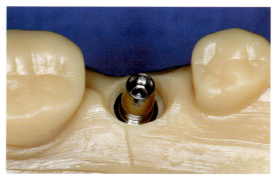

図 9-16，17　切削加工された CAD/CAM チタンベース

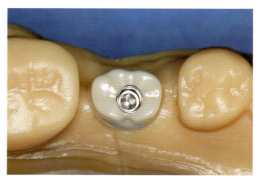

図 9-18～20　チタンベースとジルコニアアバットメントを接着固定

破折を繰り返すことがある．

③**オーバーデンチャーによる固定**：バークリップやスタッドアタッチメント，ミリングバーあるいはマグネットアタッチメントを用いて上部構造（主として義歯形態）を固定するタイプ．

5 インプラントの印象採得

　　印象採得の目的は，埋入されているインプラント体に確実に適合する補綴装置を製作するために必要な組織の形態を精密に再現することである．インプラント体の位置（高さ，角度，方向，軟組織の形態）を正確に再現された模型によってパッシブフィット*の装置を製作することができる．インプラント体は骨結合し，動揺が全くないために，きわめて高い精度が要求される．そのために印象採得は煩雑であるが，慎重に行われる．印象採得には，剛性，寸法精度および安定性といった特性を有する弾性印象材であるシリコーンゴム印象材が使用される．

---

*パッシブフィット：コンポーネントとコンポーネントが歪みのない様式で適合していること．

1）インプラントの印象採得法

インプラント体の埋入が単独植立やその方向が相互に平行に近い場合は，下記のどちらの方法でもよいが，傾斜埋入や平行性がない場合は，印象精度の観点から印象を撤去しやすいオープントレー法が推奨される．

（1）オープントレー法（図9-21）

専用のスクリューを用いてトランスファーコーピング[*]をインプラント体に固定し，トレーには印象撤去時にドライバーでアクセスしてスクリューを緩めるために開口部を付与する．印象撤去時にはトランスファーコーピングは，印象内に包埋されたままである．トランスファーコーピングにインプラントアナログ[*]をスクリューで固定し，石膏を注いで作業用模型を製作する．

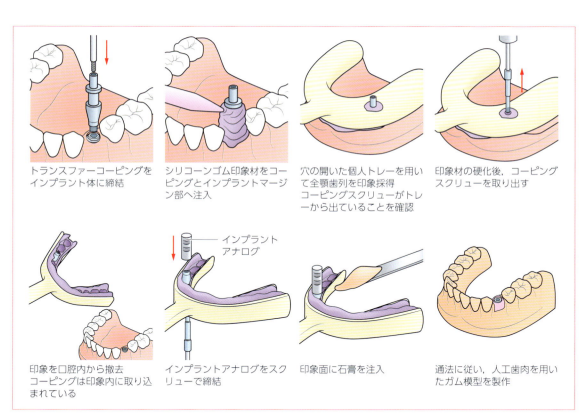

トランスファーコーピングをインプラント体に締結

シリコーンゴム印象材をコーピングとインプラントマージン部へ注入

穴の開いた個人トレーを用いて全顎歯列を印象採得 コーピングスクリューがトレーから出ていることを確認

印象材の硬化後，コーピングスクリューを取り出す

印象を口腔内から撤去 コーピングは印象内に取り込まれている

インプラントアナログ

インプラントアナログをスクリューで締結

印象面に石膏を注入

通法に従い，人工歯肉を用いたガム模型を製作

図9-21　オープントレー法
埋入されているインプラント体にトランスファーコーピングをスクリューで締結し，印象材が硬化後，スクリューを外し，歯列の印象材を口腔内から撤去し，歯科技工の操作においてインプラントアナログをトランスファーコーピングにスクリューで締結，作業模型を製作する．作業は少し煩雑になるが，骨内に埋入されている複数のインプラント体に平行性がない場合は，特に有用な方法である．
（プレーンベース社資料を参考に作成）

[*]**インプラントアナログ**：口腔内のインプラント体（フィクスチャー）やアバットメントの複製のこと．
[*]**トランスファーコーピング**：口腔内のインプラントプラットフォームの位置をインプラントレベルで印象採得するために用いるパーツのこと．印象用コーピング，印象用トランスファーコーピングと同義である．

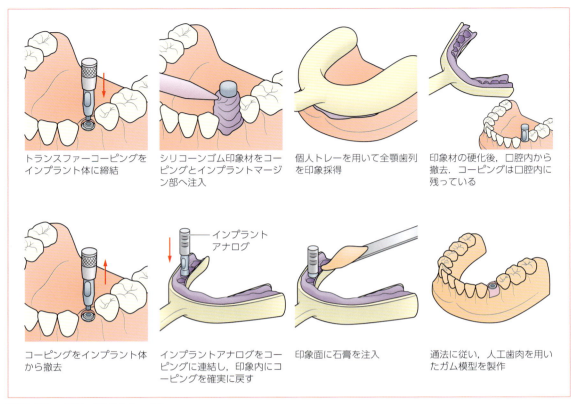

トランスファーコーピングをインプラント体に締結	シリコーンゴム印象材をコーピングとインプラントマージン部へ注入	個人トレーを用いて全顎歯列を印象採得	印象材の硬化後，口腔内から撤去．コーピングは口腔内に残っている
コーピングをインプラント体から撤去	インプラントアナログをコーピングに連結し，印象内にコーピングを確実に戻す	印象面に石膏を注入	通法に従い，人工歯肉を用いたガム模型を製作

図 9-22　クローズドトレー法
トランスファーコーピングをインプラントに直接スクリューで締結し，通常の支台歯と同じように印象採得を行う．印象材を口腔内から撤去後，インプラントアナログを付与したトランスファーコーピングを歯列印象面に正確に復位する．
(ブレーンベース社資料を参考に作成)

(2) クローズドトレー法 (図 9-22)

　トランスファーコーピングをインプラント体に直接スクリューで固定し，通常の天然歯支台歯と同様の方法で印象採得が行われる．

　最近は，口腔内スキャナーの急速な普及によって，インプラント体に装着されたスキャンボディ（スキャンアバットメント）をスキャニングすることが可能で（図 9-23），インプラントの種類や形態の情報を得ることができ，デジタルデータからミリングや 3D プリンターで作業用模型を製作することも可能である．口腔内スキャナーの普及によって時間のかかる煩雑な印象採得のための準備，操作による誤差や不正確さを排除することができる．

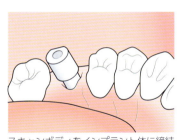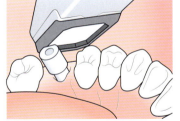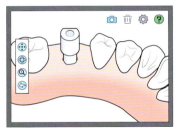

スキャンボディをインプラント体に締結　口腔内スキャナーによる光学印象採得　光学印象採得により得られた3次元的画像

図 9-23　口腔内スキャナーによる方法
インプラント体にスキャンボディをスクリューで締結し，口腔内スキャナーで歯列全体をスキャニングする方法．スキャンボディには，インプラント体の種類や長さなどの情報が刻入されているものもある．

6 インプラントの咬合

　天然歯は歯根膜を有するために咬合時に変位するが，骨結合したインプラントは骨による直接的な支持機構を有し，被圧変位量は天然歯より少なく，圧感覚がきわめて乏しい．したがって，口腔内で天然歯と共存し，調和していくためには，天然歯以上に咬合調整を繊細に行わなければならない．咬頭嵌合位においては，両側臼歯部の咬合接触の位置，接触強さ，接触時間において天然歯以上に慎重に付与しなければならない．特に側方運動においては可及的に天然歯による誘導が好ましいが，インプラント側方ガイドを付与する場合は複数のインプラントに求めることが望ましい．インプラントには歯根膜が存在しないため，咬合力に対する圧受容感覚はきわめて乏しいことを十分に認識しておく必要がある．

7 インプラント上部構造製作技工の注意点

　インプラント上部構造の製作は，通常の歯冠修復物の製作と次の点で異なる．
①アバットメントの形状を比較的自由に変えることが可能であるため，審美性や咬合関係に配慮して修正できる．
②既製の**コンポーネント**上にワックスで形態を付与するので，鋳接によって母金属との結合をはかるためには，加熱，鋳造操作や合金の選択に熟練した技術が必要となる．
③インプラント体は，天然歯と異なり歯根膜による緩衝がないため，上部構造はすべてのアバットメントに対してきわめて精度の高い適合性が要求される．
④アバットメントはシステムによって規格化された円錐形であるため，上部構造製

作のためのフレーム設計に注意しないと，前装材である陶材や間接修復用コンポジットレジンの破折を招くことがある。

⑤近年，アバットメントや上部構造の製作にあたっては **CAD/CAM** による機械的加工が用いられることが多く，コンピュータ上での設計技術や切削加工されたフレームの辺縁処理には細心の注意が必要となる（図 9-24）．

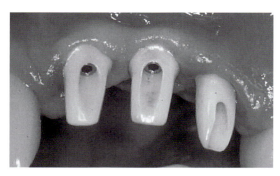

図 9-24　CAD/CAM によって切削加工されたジルコニアアバットメント

10 CAD/CAM システム

1 CAD/CAM システムの構成

CAD/CAM（computer aided design/computer aided manufacturing）**システム**は工業界，特に自動車産業において構造設計の分析や生産ラインに適用され，大きな効力を発揮してきた．自動車のように一品目多生産のラインには適しているが，歯科領域においては患者一人ひとりの補綴装置はオーダーメイドであり，さらにきわめて高い精度が要求されることが，CAD/CAM テクノロジーの導入を遅らせてきた．しかし，欧米において1970年代後半から，日本においても1980年代後半からCAD/CAMシステムを歯科医療領域に応用する研究が進められ，スキャナーやCADソフトの開発が行われてきた．

CAD/CAM システムは，**スキャナー**，**CAD ソフト**，**CAM ソフト**そして**加工装置**によって構成されている（図 10-1）．スキャナーには石膏作業用模型，シリコーン印象面，口腔内を直接**スキャニング**する方法がある．スキャニングで得られた**3次元画像データ**から CAD ソフトによって最終的に求める補綴装置などの設計を行う（図 10-2, 3）．この作業においては歯科技工に関わる知識が必要となる．設計されたデータは **STL**（standard triangulated language）**ファイル**として CAM ソフトに送信される．CAM ソフトでは材料の選択，ブロックやディスクへの配置，さらには加工装

図 10-1　CAD/CAM システムの流れ

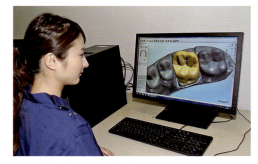

図 10-2，3 作業用模型をスキャニングし，CAD ソフトで補綴装置の設計を行う

置のプログラムを運用する．CAM ソフトからは **NC**（numerical control）**データ**として加工装置に送られる．現在，加工装置としては**切削加工装置**と**付加製造（積層造形）装置**の 2 つの方法がある．

2 CAD/CAM システムの利点と欠点

CAD/CAM システムの利点は，従来のワックスパターン形成，埋没・鋳造操作などの工程がないため迅速かつ簡便に製作できる．口腔内を直接カメラで撮影する**口腔内スキャナー（デジタル印象採得装置）**を用いれば，従来の印象採得も不要となる（**図 10-4**）．また，CAD/CAM システムで使用される材料は，メーカーサイドで高圧下・高密度で生成され，均質なブロックやディスクとして供給されるため，完成された補綴装置も内部欠陥がなく，高精度，高品質である．さらに，コンピュータ支援による設計・加工であるために常に安定的に供給され，製作者の技量や経験に影響されることは少なく，データの送受信によってプロセスが進むため，情報の保存，伝達が可能となる（**表 10-1**）．

一方，欠点としては，装置やソフトウェアの初期投資が高く，術者のトレーニング期間も必要となる．

表 10-1　CAD/CAM システムの利点

利　点
1　トレーサビリティーの確保
2　材質の安定性
3　多種類の素材に対応
4　情報の保存・伝達
5　製作期間の短縮化
6　製作工程の簡素化
7　製作工程の環境改善

3 CAD/CAM システムで使用される材料

歯科用 CAD/CAM システムで使用される材料は，無機材料，金属材料，有機材料および複合材料と多岐にわたり，これまでに使用されてきた材料のほとんどがブロックやディスク状に成形されている（**図 10-5〜8，表 10-2**）．

無機材料では長石系セラミックス，分散強化型ガラスセラミックス，ガラス浸透型

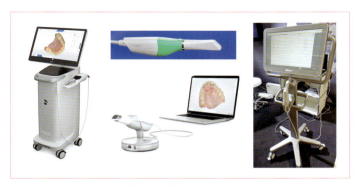

図 10-4　スキャニング精度が高くなった各種口腔内スキャナー

図 10-5〜8　切削加工用各種ブロック・ディスク

図 10-9，10　付加製造装置で製作された模型・歯冠修復物

　セラミックス，高密度焼結セラミックスとしてアルミナ，ジルコニアなどがある．特にジルコニアは，CAD/CAMの普及によって歯科に導入され，機械的強度，適合性，耐久性，生体親和性，審美性などの観点においても注目される材料である．

　金属材料としては，チタン合金，コバルトクロム合金などの非貴金属がある．

　有機材料としてはアクリルレジン，ワックスなどがある．なお，複合材料とは，無

表 10-2　CAD/CAM システムに使用される材料

セラミックス系 (無機材料)	ガラスセラミックス	e.max CAD, Celtra Duo
	高密度結晶体	LAVA, KATANA, Aadva, ZR-SS, inColis, Bruxzir
金属系 (金属材料)	コバルトクロム合金	EOS SP2, Cara CoOr milled, Cara CoCr SLM, CAMselect
	チタン合金	Ti64, ZENOTEC Ti, Ceramill ti
	純チタン	GN-1 チタン, Everest T-Blank, Ti by Compartis, ZENOTEC Ti pur
レジン系 (有機材料, 複合材料)	アクリルレジン	Vita CAD-Waxx, IPS AcryCAD, Cearmill PMMA, Telio CAD
	ポリアミド	CopraDur PA
	繊維強化型レジン	Everest C-Temp, Trinia
	ハイブリッド型コンポジットレジン	Vita CAD Temp, Ceramill Comp, Cerasmart, Blok HC
	ワックス	Cercon base wax, ZENOTEC Wax, Ceramill Wax
	ポリウレタン	ZENOTEC Model, Copra Mpodel
	スーパーエンプラ	Ceramill PEEK, DD PeekMed, CopraPeek, Pekkton ivory

機フィラーと有機高分子材料からなるコンポジットレジンが該当する.

4　CAD/CAM システムの加工装置

　　歯科用 CAD/CAM システムで使用される加工装置は，切削加工装置と付加製造装置の 2 種類に大別される（表 10-3）．切削加工装置（ミリングマシン）は，高品質なブロックあるいはディスクを短時間，高精度に加工するのに使用される．付加製造装置による作業用模型やシミュレーションモデル，レジンパターンなどの製作のほか，粉末床溶融結合法（レーザー粉末焼結法）を応用したメタルクラウンやメタルコーピングの製作が行われている.

　　また，最近では，きわめて精度が要求される装置の製作に，切削加工と付加製造の両方を 1 つの加工装置で行うことができるハイブリッド加工装置も使用されている.

表 10-3　切削加工法と付加製造法の特徴

切削加工法	付加製造法
1 品目少数加工に適する 加工時間が短い 均質安定した材料を用いる 高精度の加工が可能である ブロック・ディスクのサイズに影響される ミリングバーの損耗がある	1 度に多数個の製作に適する 加工時間が長い 大型の装置の製作が可能である 中空の装置の製作が可能である 加工精度は切削加工に比べて劣る

参考文献

1）Rufenacht, C.R.：Fudamentals of Esthetics. Quintessence, Chicago, 1990.

2）田村勝美ほか編：歯科技工卒後研修講座　5. 医歯薬出版，東京，1990.

3）田村勝美ほか編：歯科技工卒後研修講座　6. 医歯薬出版，東京，1991.

4）横塚繁雄ほか：歯科技工士教本　歯冠修復技工学. 医歯薬出版，東京，1995.

5）下江宰司ほか：レジン前装冠の製作における接着技術. QDT別冊／新版　硬質レジンの世界―硬質レジンの理論・臨床応用・技工操作・熱から光への変遷―. 2001，98～107.

6）都賀谷紀宏：歯科技工における溶接技術. 日本歯技，435：1～7，2005.

7）山﨑長郎："今日"を象徴する歯冠修復治療；オールセラミックレストレーション. 歯科技工別冊／オールセラミックスレストレーション　基礎からわかる材料・技工・臨床（新谷明喜ほか編），医歯薬出版，東京，2005，2～11.

8）村山　長：CAD/CAMと知識情報処理. プレス技術　臨時増刊号，26（8），17～23，2005.

9）小峰　太ほか：読者と考える. 歯科用CAD/CAM10の疑問. QDT，31（5）：297～316，2006.

10）Matsumura H, Aida Y, Ishikawa Y, Tanoue N.：Porcelain laminate veneer restorations bonded with a three-liquid silane bonding agent and a dual-activated luting composite. J Oral Sci, 48：261-266, 2006.

11）全国歯科技工士教育協議会編：新歯科技工士教本　歯冠修復技工学. 医歯薬出版，東京，2007.

12）田中卓男ほか編：新素材による接着ブリッジの臨床. ヒョーロン・パブリッシャーズ，東京，2008.

13）矢谷博文ほか編：クラウンブリッジ補綴学　第5版. 医歯薬出版，東京，2014.

14）日本補綴歯科学会編：歯科補綴学専門用語集　第4版. 医歯薬出版，東京，2015.

15）會田雅啓ほか編：冠橋義歯補綴学テキスト. 永末書店，京都，2015.

16）日本補綴歯科学会：補綴歯科治療過程における感染対策指針. 2019.

索 引

歯 科 技 工 録

厚生労働省通知　医政発第0318003号　準拠

（表記指示書による技工物の歯科技工録である）

☑ 歯冠修復　　　□ 有床義歯

受託日	1／18	最終検査	2／10	管理者	医歯薬　太郎	印	引渡日	2／15

主材料	品　名	LOT	品　名	LOT
	金銀パラジウム合金	1234-5678		

補　綴　物　名

□ インレー　　□ コア　　☑ FMC　　□ 前装冠　　□ PFM　　□ トレー　　□ ロー提
□ FD　　□ PD　　□ 金属床　　□ CAD/CAM冠　　□ その他 _____

	技工製作工程	製作工程チェック項目	評　価　・　管　理
1	技工指示書	指示書内容の確認	☑ 確認（設計・使用材料・納品日）　　□ 担当医問い合せ
2	作業模型	模型等の確認	☑ 作業模型　　☑ 対合模型　　☑ チェックバイト
3	咬合床	基礎床・咬合堤	□ 基礎床　　□ 咬合堤（　　　　　　　　　　　　）
4	咬合器付着	使用咬合器の種類	メーカー名（　医歯薬器材　）商品名（ Average 2023）
5	蝋型採得	形態の付与・咬合接触関係 隣在歯接触関係	☑ 形態　　☑ 咬合接触関係　　☑ 隣在歯関係 ☑ 適合性（　　　　　　　　　　　　　　　　　）
6	人工歯排列	使用人工歯	メーカー名（　　　　　　　）商品名（　　　　　） LOT（　　　　　　　　　　　　　　　　　　　） メーカー名（　　　　　　　）商品名（　　　　　） LOT（　　　　　　　　　　　　　　　　　　　）
7	歯肉形成	歯肉形成	□ 床形態　　　　□ 辺縁形態 □ 研磨面形態　　□ 歯頸部再現
8	埋没・鋳造	使用金属	メーカー名（　医歯薬器材　）商品名（　金パラAG　） LOT（　　　　　　　　　　　　　　　　　　　） メーカー名（　　　　　　　）商品名（　　　　　） LOT（　　　　　　　　　　　　　　　　　　　）
		鋳造体の点検	☑ 良　　　□ 鋳巣　　　□ バリ □ その他（　　　　　　　　　　　　　　　　　）
9	歯冠修復材築盛	使用材料	メーカー名（　　　　　　　）商品名（　　　　　） LOT（　　　　　　　　　　　　　　　　　　　）
10	重合	床用材料	メーカー名（　　　　　　　）商品名（　　　　　） LOT（　　　　　　　　　　　　　　　　　　　）
11	研磨	研磨	□ 適合状態　　☑ つや出し
12	洗浄・消毒	☑ 洗浄・消毒	
13	その他の補綴物 特記事項		

（一社）東京都歯科技工士会推奨

【著者略歴】

松村 英雄
1981 年　日本大学歯学部卒業
2003 年　日本大学歯学部歯科補綴学第Ⅲ講座教授
2022 年　日本大学歯学部歯科補綴学第Ⅲ講座特任教授

五味 治徳
1987 年　日本歯科大学歯学部卒業
1991 年　日本歯科大学大学院歯学研究科修了
2001 年　日本歯科大学生命歯学部歯科補綴学第 2 講座講師
2009 年　日本歯科大学生命歯学部歯科補綴学第 2 講座准教授
2015 年　日本歯科大学生命歯学部歯科補綴学第 2 講座教授

雲野 泰史
1983 年　日本歯科大学附属歯科専門学校歯科技工士科卒業
2005 年　日本歯科大学東京短期大学歯科技工学科助手
2005 年　放送大学卒業
2008 年　日本歯科大学東京短期大学歯科技工学科講師
2009 年　日本歯科大学東京短期大学歯科技工学科准教授
2010 年　聖徳大学大学院修了
2024 年　日本歯科大学東京短期大学歯科技工学科教授

下江 宰司
1987 年　広島大学歯学部附属歯科技工士学校卒業
2001 年　放送大学卒業
2004 年　広島大学歯学部附属歯科技工士学校講師
2005 年　長崎大学大学院修了
2005 年　広島大学歯学部口腔保健学科口腔保健工学講座講師
2014 年　広島大学大学院医歯薬保健学研究院統合健康科学部門准教授

末瀬 一彦
1976 年　大阪歯科大学卒業
1980 年　大阪歯科大学大学院修了
1997 年　大阪歯科大学客員教授・歯科技工士専門学校校長
2008 年　大阪歯科大学歯科衛生士専門学校校長（兼務）
2014 年　大阪歯科大学教授
2017 年　大阪歯科大学客員教授
　　　　広島大学歯学部客員教授
　　　　昭和大学歯学部客員教授
　　　　東京医科歯科大学非常勤講師
　　　　大阪歯科大学歯科衛生士専門学校非常勤講師
　　　　奈良歯科衛生士専門学校非常勤講師
2019 年　奈良歯科衛生士専門学校理事長
2021 年　奈良県歯科医師会会長
2023 年　全国歯科衛生士教育協議会理事
　　　　日本歯科医師会常務理事

新谷 明一
1999 年　日本歯科大学歯学部卒業
2003 年　日本歯科大学大学院歯学研究科臨床系修了
2006 年　日本歯科大学生命歯学部歯科補綴学第 2 講座助手
2006 年　フィンランド，トゥルク大学歯学部生体材料・補綴学講座留学
2009 年　香港大学牙医学院牙科物質学・客員准教授
2010 年　日本歯科大学生命歯学部歯科補綴学第 2 講座講師
2015 年　日本歯科大学生命歯学部歯科補綴学第 2 講座准教授
2019 年　日本歯科大学生命歯学部歯科理工学教授

藤田 暁
1993 年　大阪歯科大学歯科技工士専門学校卒業
1995 年　大阪歯科大学歯科技工士専門学校専攻科卒業
1996 年　大阪歯科大学歯科技工士専門学校助手
2001 年　佛教大学社会学部社会福祉学科卒業
2009 年　大阪歯科大学歯科技工士専門学校教員
2018 年　大阪歯科大学医療保健学部口腔工学科助手
2019 年　大阪教育大学大学院教育学研究科修士課程修了
　　　　大阪歯科大学医療保健学部口腔工学科助教
2020 年　滋賀県立総合保健専門学校非常勤講師
2023 年　大阪歯科大学大学院医療保健学研究科博士課程修了
　　　　大阪歯科大学医療保健学部口腔工学科講師
2024 年　大阪歯科大学医療保健学部口腔工学科准教授

小峰　太 こみね ふとし
1991 年　日本大学歯学部卒業
2010 年　日本大学歯学部歯科補綴学第Ⅲ講座専任講師
2016 年　日本大学歯学部歯科補綴学第Ⅲ講座准教授
2022 年　日本大学歯学部歯科補綴学第Ⅲ講座教授

今井秀行 いまい ひで ゆき
2002 年　日本大学歯学部附属歯科技工専門学校卒業
2004 年　長崎大学病院医療技術部技術職員
2009 年　放送大学卒業
2011 年　日本大学歯学部附属歯科技工専門学校専任教員
2012 年　東北大学大学院歯学研究科修士課程修了
2015 年　広島大学大学院医歯薬保健学研究科博士課程修了

小泉寛恭 こ いずみ ひろ やす
1995 年　日本大学歯学部卒業
2000 年　日本大学大学院修了
2006 年　日本大学歯学部歯科補綴学第Ⅲ講座専任講師
2017 年　日本大学歯学部歯科補綴学第Ⅲ講座准教授
2018 年　日本大学歯学部歯科理工学講座准教授

最新歯科技工士教本
歯冠修復技工学 第2版   ISBN978-4-263-43175-7

2017年 3 月10日　　第1版第1刷発行
2023年 1 月20日　　第1版第7刷発行
2024年 2 月20日　　第2版第1刷発行
2025年 4 月25日　　第2版第3刷発行

編　者　全国歯科技工士
　　　　教 育 協 議 会
著　者　末 瀬 一 彦 ほか
発行者　白 石 泰 夫
発行所　医歯薬出版株式会社

〒113-8612　東京都文京区本駒込 1-7-10
TEL. (03)5395-7638(編集)・7630(販売)
FAX. (03)5395-7639(編集)・7633(販売)
https://www.ishiyaku.co.jp/
郵便振替番号　00190-5-13816

乱丁，落丁の際はお取り替えいたします　　　　印刷・教文堂／製本・愛千製本所
© Ishiyaku Publishers, Inc., 2017, 2024. Printed in Japan